GRAMÁTICA ACTIVA 2

Olga Mata Coimbra   Isabel Coimbra

EDIÇÃO REVISTA

Lidel – edições técnicas, lda

LISBOA — PORTO

e-mail: lidel@lidel.pt

http://www.lidel.pt (Lidel on-line)

(*site* seguro certificado pela Thawte)

Da mesma Editora:

– PORTUGUÊS XXI
Curso de Português Língua Estrangeira estruturado em 3 níveis: iniciação, elementar e intermédio
Componentes: Livro do Aluno, Caderno de Exercícios, Livro do Professor e CD-áudio

– CONHECER PORTUGAL E FALAR PORTUGUÊS
CD-Rom para auto-aprendizagem do Português como Língua Estrangeira através de cenas animadas e de imagens de algumas regiões de Portugal
Tradução em 4 línguas: Alemão, Espanhol, Francês, Inglês

– GRAMÁTICA INTERACTIVA
CD-Rom com mais de 100 exercícios interactivos para revisão e consolidação do português bem como treino intensivo da capacidade de compreensão oral e escrita

– PRATICAR PORTUGUÊS
Actividades linguísticas variadas, destinadas a alunos de Português Língua Estrangeira de níveis elementar e intermédio

– COMUNICAR EM PORTUGUÊS
Livro de exercícios para desenvolvimento da comunicação oral
Existe CD-áudio de acompanhamento com a gravação de todos os textos

– OLÁ! COMO ESTÁ?
Curso intensivo de Português como Língua Estrangeira destinado a adultos ou jovens adultos
Componentes: Livro de Textos, Livro de Actividades (que contém um caderno de vocabulário) e um CD-áudio duplo

– VAMOS LÁ COMEÇAR
Explicações e Exercícios de gramática e vocabulário em 2 volumes (nível elementar)

– NAVEGAR EM PORTUGUÊS
Método dirigido a alunos do ensino secundário constituído por dois níveis
Componentes de cada nível: Livro do Aluno, Caderno de Exercícios, Livro do Professor e CDs-áudio
Projecto Socrates da União Europeia

– BEM-VINDO
Método para três anos de Português Língua Estrangeira
Componentes de cada nível: Livro do Aluno, Livro de Trabalho, Livro do Professor e CD-áudio

– PORTUGUÊS SEM FRONTEIRAS
Curso de Português como Língua Estrangeira em 3 Níveis
Componentes de cada nível: Livro do Aluno, Livro do Professor e um conjunto de cassetes áudio
Para o Nível 1: Nova Edição, revista e actualizada

– LUSOFONIA
Curso Básico de Português Língua Estrangeira/Curso Avançado de Português Língua Estrangeira
Componentes de cada nível: Livro do Aluno, Caderno de Exercícios, Livro do Professor, Cassete áudio

– QUAL É A DÚVIDA?
Livro de exercícios destinado a alunos de nível intermédio, intermédio alto e avançado

– GUIA PRÁTICO DOS VERBOS PORTUGUESES – 12.000 verbos
Manual prático de conjugação verbal, inclui verbos com preposições e particularidades de conjugação do verbo no Brasil

– LER PORTUGUÊS
Colecção de histórias originais de leitura fácil e agradável, estruturadas em três níveis

EDIÇÃO E DISTRIBUIÇÃO

Lidel – edições técnicas, lda

SEDE: Rua D. Estefânia, 183, r/c Dto. – 1049-057 Lisboa – Internet: 21 351 14 18 – livrarialx@lidel.pt; Revenda: 21 351 14 43 – revenda@lidel.pt
             Formação/Marketing: 21 351 14 48 – formacao@lidel.pt/marketing@lidel.pt; Ens. Línguas/Exportação: 21 351 14 42 – depinternacional@lidel.pt;
             Fax: 21 357 78 27 – 21 352 26 84
             Linha de Autores: 21 351 14 49 – edicoesple@lidel.pt;
             Fax: 21 352 26 84

LIVRARIAS: LISBOA: Av. Praia da Vitória, 14 – 1000-247 Lisboa – Telef. 21 354 14 18 – Fax 21 317 32 59 – livrarialx@lidel.pt
             PORTO: Rua Damião de Góis, 452 – 4050-224 Porto – Telef. 22 557 35 10 – Fax 22 550 11 19 – delporto@lidel.pt

Copyright © Abril 2000
Edição Revista: Março 2002
LIDEL – Edições Técnicas, Lda.
Ilustrador: Carlos Cândido
Impressão e Acabamento: Rolo & Filhos II, S.A.
ISBN: 978-972-757-173-4
Depósito Legal n.º 279 933/08

Índice

Introdução

A **Gramática Activa 2** destina-se ao ensino do **Português como Língua Estrangeira** ou do **Português Língua Segunda** e cobre as principais estruturas do **nível intermédio**.

Sendo um livro com explicações e exercícios gramaticais, não está orientado para ser um curso de Português para Estrangeiros. É um livro que deve ser usado como material suplementar ao curso, na sala de aula ou em casa.

A **Gramática Activa 2** divide-se em 40 unidades, cada uma delas focando áreas específicas da gramática portuguesa, tais como tempos verbais simples e compostos do indicativo, conjuntivo, condicional, infinitivo e gerúndio, conjugação pronominal, conjugação perifrástica, voz activa vs.voz passiva, discurso directo vs. discurso indirecto, formação de palavras (derivação e composição), acentuação, pontuação, etc. O livro não deverá ser trabalhado do princípio ao fim, seguindo a ordem numérica das unidades. Estas devem ser antes seleccionadas e trabalhadas de acordo com as dificuldades do(s) aluno(s).

À semelhança do livro 1, a maior parte das unidades é constituída por 2 páginas, contendo explicações gramaticais à esquerda e exercícios de aplicação à direita. No livro 2 há, contudo, algumas unidades de 4 páginas compostas por 2 páginas de explicações e 2 páginas de exercícios ou 1 página de explicações e 3 páginas de exercícios.

No fim do livro há ainda 4 apêndices — regras da acentuação; pontuação; formação de palavras; conjugação-modelo dos verbos em -ar, -er e -ir e conjugação dos verbos auxiliares — bem como a chave dos exercícios.

Unidade 1 Presente do conjuntivo com expressões impessoais

(verbos regulares em -ar, -er e -ir)

Presente do conjuntivo

- Forma-se a partir da 1ª pessoa do singular do presente do indicativo, a que se retira a desinência **-o** e substitui-se por **-e**, para os verbos em **-ar** e por **-a**, para os verbos em **-er** e **-ir**.

1ª pessoa do singular

	Presente do Indicativo	Presente do Conjuntivo
fal**ar**	eu fal**o**	eu fal**e**
com**er**	eu com**o**	eu com**a**
abr**ir**	eu abr**o**	eu abr**a**

Presente do conjuntivo

	-ar	-er	-ir
eu	fal**e**	com**a**	abr**a**
tu	fal**es**	com**as**	abr**as**
você ele ela	fal**e**	com**a**	abr**a**
nós	fal**emos**	com**amos**	abr**amos**
vocês eles elas	fal**em**	com**am**	abr**am**

- Usamos o **presente do conjuntivo** depois de **expressões impessoais** com o verbo no presente do indicativo para, de um modo geral, expressar uma acção eventual no futuro.

> *É possível que* hoje ainda **chova**.
> *É bom que* vocês **cheguem** a horas.
> *É provável que* ele se **atrase**. Está muito trânsito.
> *É importante que* **leiam** este artigo.
> *É necessário que* ela **aprenda** línguas.
> *É preciso que* **acabem** o trabalho antes das 18h.
> *É melhor que* **consultes** um médico.
> *Basta que* vocês **peçam** autorização ao chefe.
> *É suficiente que* **deixe** o número de telefone.
> *Convém que* **vejam** primeiro o filme.
> *É conveniente que* **tragam** agasalhos. Está muito frio no norte.

Unidade 1   Exercícios

1.1. Complete com os seguintes verbos no **presente do conjuntivo.**

1. ter / eu _____	7. abrir / eles _____	13. ficar / você _____	19. dormir / eu _____
2. vir / ela _____	8. pagar / eu _____	14. despir / eles _____	20. beber / você _____
3. ver / ele _____	9. seguir / vocês_____	15. ouvir / ela _____	21. dizer / eles _____
4. comprar / nós_____	10. pôr / ela _____	16. perder / eu _____	22. sair / tu _____
5. fazer / tu _____	11. trazer / ele _____	17. conseguir / nós_____	23. poder / ela _____
6. pedir / você _____	12. vestir / tu _____	18. ler / vocês _____	24. trabalhar / nós_____

1.2. Complete as frases com os verbos no **presente do conjuntivo.**

1. (ficar cansado) É natural que, depois de um dia de trabalho, ela *fique cansada* _____.
2. (ter cuidado) É conveniente que ele _____.
3. (ouvir) É bom que eles me _____.
4. (seguir as instruções) É aconselhável que vocês _____.
5. (vir cá a casa) É possível que ele _____.
6. (começar mais tarde) É provável que a reunião _____.
7. (ver a Ana hoje) É natural que eu _____.
8. (comer tanto) É melhor que tu não _____.
9. (ler o artigo) Convém que vocês _____.
10. (pagar em cheque) É preferível que os senhores _____.
11. (pôr o casaco) É conveniente que tu _____.
12. (fazer barulho) É bom que vocês não _____.
13. (sentir frio) É natural que ela _____.
14. (levar uns amigos) É provável que nós _____.
15. (pedir as chaves ao porteiro) Basta que tu _____.

1.3. Transforme as seguintes frases de maneira a usar **expressões impessoais** seguidas do verbo no **presente do conjuntivo**.

1. Provavelmente eles ganharão o jogo.
   É provável que eles ganhem o jogo ____.
2. Possivelmente encontrarás lá o Pedro.
   _____.
3. Ele precisa de investir melhor o dinheiro.
   _____.
4. A senhora necessita de fazer dieta.
   _____.
5. Possivelmente conseguirás emprego.
   _____.
6. Necessitas de estudar mais.
   _____.
7. Provavelmente farei alguns erros.
   _____.

8. Provavelmente ficarei em casa.
   _____.
9. Precisas de ter cuidado com a alimentação.
   _____.
10. Ela tem necessidade de descansar mais.
    _____.
11. Possivelmente virão visitar-me.
    _____.
12. Provavelmente não te sentirás à vontade.
    _____.
13. Possivelmente será atendido às 17h.
    _____.
14. Naturalmente estás cansadíssimo.
    _____.

Unidade 2 — Presente do conjuntivo com conjunções e locuções

(verbos irregulares)

Presente do conjuntivo
verbos irregulares

	dar	estar	haver	ir	querer	saber	ser
eu	dê	esteja		vá	queira	saiba	seja
tu	dês	estejas		vás	queiras	saibas	sejas
você ele ela	dê	esteja	haja	vá	queira	saiba	seja
nós	dêmos	estejamos		vamos	queiramos	saibamos	sejamos
vocês eles elas	dêem	estejam		vão	queiram	saibam	sejam

- Usamos o **presente do conjuntivo** depois de determinadas **conjunções** e **locuções** para, de um modo geral, expressar eventualidade no futuro.

Conjunções/locuções

concessivas:	indicam um facto que poderia contrariar a realização da acção expressa na oração principal
embora although **mesmo que** **ainda que** respite **se bem que** **nem que** even if	+ presente do conjuntivo
condicionais:	indicam uma hipótese ou uma condição de que depende a acção expressa na oração principal
caso **sem que** only if / in case **desde que** **a menos que** unless **a não ser que** unless	+ presente do conjuntivo
finais:	indicam a finalidade da oração principal
para que so that **a fim de que** the reason why	+ presente do conjuntivo
temporais:	exprimem uma ideia de tempo, indicando anterioridade (1), posterioridade (2) e simultaneidade (3)
antes que (1) **até que (2)** **logo que (3)** to soon as	+ presente do conjuntivo

Embora o tempo **esteja** bom, fico em casa.
Mesmo que **chova**, vamos ao futebol.
Ainda que **esteja** cansada, ajudo-te no trabalho.
Se bem que ele não **saiba** línguas, nunca tem problemas quando viaja.
Não pago, *nem que* **chamem** a polícia.

Caso **seja** necessário, vou falar com o advogado.
Sem que **vejas** o filme, não podes dizer se é bom ou mau.
Temos aulas, *desde que* não **haja** greve dos professores.
Telefona-me, *a menos que* **venhas** muito tarde.
Ele não te ouve, *a não ser que* **grites**.

Vá de táxi *para que* não se **atrase**.
A fim de que **obtenham** resultados, têm de investir mais.

Come um pouco de bolo *antes que* **acabe**.
Até que vos **dêem** novas instruções, continuem o trabalho.
Logo que **possa** telefono-te.

Unidade 2   Exercícios

2.1. Complete com os seguintes verbos no **presente do conjuntivo.**

1. querer / eu _____
2. saber / nós _____
3. estar / ele _____
4. dar / ela _____
5. ser / vocês _____
6. ir / tu _____
7. ser / eu _____
8. haver _____
9. ir / nós _____
10. saber / ele _____
11. querer / você _____
12. estar / nós _____
13. dar / eu _____
14. estar / eles _____
15. saber / tu _____
16. ser / ela _____
17. ir / eu _____
18. querer / vocês _____
19. ir / ela _____
20. ser / tu _____
21. estar / eu _____
22. querer / nós _____
23. dar / eles _____
24. saber / eu _____

2.2. Complete as frases com o **presente do conjuntivo.**

1. Mesmo que ela _____ (encontrar) a carteira, é natural que o dinheiro não _____ (estar) lá.
2. Toma nota num papel para que não _____ (esquecer-se) de nada.
3. Sem que vocês _____ (fazer) os exercícios, não podem sair.
4. Caso eu não _____ (poder) ir, telefono-vos.
5. Embora ele _____ (ser) riquíssimo, não gosta de dar dinheiro aos filhos.
6. Antes que _____ (ir) de férias, quero organizar tudo no escritório.
7. Todos têm de treinar, mesmo que _____ (estar) mau tempo.
8. Embora ela _____ (ter) um bom *curriculum*, não foi aceite para o lugar.
9. Logo que _____ (acabar) de comer, vão lavar os dentes.
10. Não podem tirar conclusões sem que _____ (saber) os resultados da sondagem.
11. Desde que não _____ (haver) inconveniente, podemos fazer o jantar no sábado.
12. Vamos chegar tarde, a não ser que vocês _____ (despachar-se).
13. Não lhe digas nada, a menos que ela te _____ (perguntar).
14. Logo que eles _____ (chegar), avisem-me.
15. Não falo mais com ele, nem que me _____ (pedir) desculpa.

2.3. Altere as seguintes frases sem lhes modificar o sentido. Comece como indicado.

1. Ela é uma excelente funcionária, mas chega sempre atrasada.
   Embora *ela seja uma excelente funcionária, chega sempre atrasada.*_____
2. Tenham cuidado para não partirem nada.
   Tenham cuidado para que _____.
3. Apesar de ele saber bem inglês, não foi admitido.
   Embora _____.
4. No caso de não haver bilhetes para o teatro, vamos a minha casa.
   Caso _____.
5. A senhora abre uma conta à ordem e recebe logo o cartão multibanco.
   Logo que _____.
6. Sem falar com ele primeiro, não posso tirar conclusões.
   Sem que _____.
7. Encomendamos mais comida no caso de ele vir.
   Caso _____.
8. Não o conheço pessoalmente, mas falamos muito ao telefone.
   Embora _____.
9. Leva o mapa da cidade no caso de não conseguires encontrar a casa.
   Leva o mapa da cidade caso _____.
10. Até estares completamente bom, não deves sair.
    Até que _____.
11. Podem oferecer-me as viagens, mas não trabalho mais com essa agência.
    Nem que _____.
12. Empresto-te o carro, mas tens de guiar com cuidado.
    Empresto-te o carro, desde que _____.

Unidade 3

Presente do conjuntivo introduzido por **verbos** ou **expressões de desejo, ordem, dúvida, sentimento,** etc.

- Usamos o **presente do conjuntivo** para expressar acções eventuais no futuro em frases introduzidas pela conjunção **que** e antecedidas por verbos ou expressões que exprimam **desejo, ordem, dúvida, sentimento,** etc., conjugados no presente do indicativo.

Presente do Indicativo		
verbos	esperar desejar agradecer duvidar lamentar recear pedir querer preferir exigir proibir sentir sugerir gostar	**que + presente do conjuntivo**
expressões	ter dúvidas ter pena *feel sorry* ter medo	

Espero que amanhã **esteja** bom tempo.
Queres que eu te **ajude**?
Lamentamos que vocês não **possam** ficar.
Duvido que ele **tenha** razão.
Receio bem *que* eles se **percam** na cidade.
Prefiro que **venham** mais cedo.
O professor *pede que* o **ouçam** bem.
Ela só *deseja que* tudo **corra** bem.
Agradeço que se **sentem** para começarmos a reunião.
Exijo que me **contem** toda a verdade.
Proíbo-te que me **fales** com esses modos.
Sinto muito *que* afinal não **possas** vir.
Sugiro que **vá** primeiro ao médico.
Não gosto que te **vistas** dessa maneira.

Tenho imensa *pena que* não **fique** mais tempo.
Temos muitas *dúvidas que* ele **saiba** tudo.
A Ana *tem medo que* o marido **seja** despedido.

Unidade 3   Exercícios

3.1. Complete com os verbos no **presente do conjuntivo**.

1. (correr bem) Espero que a viagem _corra bem_ _____.
2. (saber tantas línguas) Duvido que ele _____.
3. (poder ficar) Lamento que a Ana não _____.
4. (dar todas as informações) Agradecemos que os senhores nos _____.
5. (esquecer o assunto) Prefiro que tu _____.
6. (sentir-se bem) Só desejamos que a senhora _____.
7. (estar melhor) Espero que o seu marido _____.
8. (vir comigo) Gosto que tu _____.
9. (fazer barulho) Receio bem que eles _____.
10. (devolver o dinheiro) Exijo que a loja me _____.
11. (ser um bom aluno) Queremos que tu _____.
12. (haver algum problema) Tenho medo que _____.
13. (telefonar mais tarde) Prefiro que o senhor me _____.
14. (apanhar um táxi) Duvido que a estas horas tu _____.
15. (jantar connosco) Tenho pena que vocês não _____.
16. (consultar o médico) Sugiro que tu _____.

3.2. Ponha os verbos no **presente do conjuntivo**.

1. Ele não admite que eu _____ (chegar) atrasada.
2. Não acredito que ela _____ (conseguir) o lugar.
3. Duvido que eles _____ (vencer) na final.
4. Espero que vocês _____ (vir) cá mais vezes.
5. Peço-vos que _____ (ter) mais um pouco de paciência.
6. Quero que _____ (ajudar) o teu irmão com os trabalhos.
7. Espero que agora tu _____ (ver) melhor com esses óculos.
8. Prefiro que _____ (ir) de táxi. É mais prático para si.
9. Queres que eu lhe _____ (dizer)?
10. Só desejo que vocês _____ (divertir-se) muito.
11. Receio bem que ele ainda não _____ (saber) o que aconteceu.
12. Espero que tu _____ (dormir) bem hoje e que amanhã _____ (estar) melhor.
13. Tenho dúvidas que ela _____ (acreditar) nessa história.
14. Agradeço que, da próxima vez, vocês _____ (trazer) os livros.
15. Detesto que vocês me _____ (mentir).
16. Sinto muito que não _____ (poder) ficar mais tempo. Gostei da tua visita.

3.3. Dê respostas curtas com os verbos no **presente do conjuntivo**.

1. — Acham que já **é** tarde?
   — Esperemos que não _seja._____

2. — Achas que eles se **lembram** de mim?
   — Duvido que _____.

3. — Achas que ela **está** a mentir?
   — Receio que _____.

4. — Achas que **consigo** chegar a tempo?
   — Duvido que _____.

5. — Acha que **há** algum problema?
   — Espero que não _____.

6. — Achas que ela **aceita** o convite?
   — Duvido que _____.

7. — Acham que ele **sabe** alguma coisa?
   — Duvidamos que _____.

8. — Achas que eles **vêm** hoje?
   — Espero que _____.

Unidade 4 Presente do conjuntivo em frases dubitativas e exclamativas

- Usamos o **presente do conjuntivo** precedido do advérbio **talvez**, em **frases dubitativas** para exprimir dúvida e/ou probabilidade.

O professor faltou à aula. **Talvez esteja** doente.

— Vais connosco ao cinema?
— **Talvez vá**. Ainda não sei.

Como foram de táxi para a estação, **talvez** não **percam** o comboio.

- Usamos o **presente do conjuntivo**, precedido de determinadas interjeições e locuções, em **frases exclamativas** para exprimir desejo.

Exclamativas de Desejo	
Oxalá... Tomara que... Deus queira que... Quem me dera que...	**+ presente do conjuntivo**

O tempo, ultimamente, tem estado muito incerto. Apesar disso, o João e os amigos combinaram ir à praia no próximo fim-de-semana.

— Então? Sempre vamos à praia amanhã?
— Vamos. Está tudo combinado.
— **Tomara que** não **chova**!

A Ana não sai de casa há mais de 2 semanas. Tem estudado bastante. Hoje, finalmente, é o dia do exame e está nervosíssima.

— Estás preparada para o exame?
— Acho que sim. Estudei bastante.
— **Oxalá** te **corra** bem!

O sr. Ramos não se tem sentido bem. Tem andado com dores de estômago. Foi ao médico e este achou que ele devia ser internado.

— **Deus queira que** não **seja** nada de grave!

O Pedro está contentíssimo com o novo emprego. Gosta do trabalho, dos colegas e do chefe. Este até já está a pensar numa promoção a curto prazo.

— Ouvi dizer que te vão promover.
— **Quem me dera que tenhas** razão!

Unidade 4   Exercícios

4.1. Complete as frases com o **presente do conjuntivo**.

1. Se calhar ficamos em casa amanhã.
   Talvez _____.
2. Provavelmente não está ninguém no escritório.
   Talvez _____.
3. Possivelmente já não os vejo hoje.
   Talvez _____.
4. Provavelmente ainda há bilhetes para o concerto

   _____.
5. Se calhar vou jantar fora.

   _____.
6. Possivelmente faço a festa no próximo sábado.

   _____.

4.2. Faça frases afirmativas com o **presente do conjuntivo**.

1. Não sei se tenho de trabalhar neste fim-de-semana.
   Talvez _____.
2. Não sei se eles querem vir connosco.
   Talvez _____.
3. Não sei se consigo falar com ele amanhã.
   Talvez _____.
4. Não sei se eles podem vir connosco.
   Talvez _____.
5. Não sei se os vejo hoje à noite.
   Talvez _____.

4.3. Dê respostas que exprimam opinião contrária.

1. — Achas que ela **está** mesmo doente?
   — Talvez *não esteja.*_____
2. — Achas que eles **estão** a mentir?
   — Talvez _____.
3. — Achas que ela **sabe** o que aconteceu?
   — Talvez _____.

4. — Acha que **há** algum problema?
   — Espero que _____!
5. — Achas que ela **aceita** o convite?
   — Duvido que _____.
6. — Acham que ele **sabe** alguma coisa?
   — Duvidamos que _____.

4.4. Complete as **exclamativas** com o **presente do conjuntivo**.

1. — Ele tem trabalhado tanto.
   — Oxalá _____ (passar) no exame!
2. — Ela vai ser operada.
   — Deus queira que _____ (correr) tudo bem!
3. — Vou mudar de emprego.
   — Tomara que _____ (dar) certo!
4. — Amanhã é a final do campeonato.
   — Quem me dera que _____ (ganhar) a nossa equipa!
5. — Vou buscá-los ao aeroporto.
   — Tomara que o avião _____ (vir) a horas!
6. — Recebi uma carta dos meus pais.
   — Oxalá _____ (ser) boas notícias!

Unidade 5

Presente do conjuntivo depois de **por mais que**, **por muito que**, **por pouco que**, etc.

- As locuções **por mais que**, **por muito que**, **por pouco que**, etc. pedem o verbo no **conjuntivo** e introduzem orações subordinadas concessivas que exprimem de **forma exagerada** uma oposição ou restrição ao que está expresso na oração subordinante.

> **Por mais que trabalhe**, não sou promovido.
> Isto é, mesmo que trabalhe 24 horas por dia, 7 dias por semana, não sou promovido.

> **Por muito que** me **esforce**, não consigo lembrar-me do nome dele.
> Isto é, mesmo que me esforce até à exaustão, não consigo lembrar-me do nome dele.

> **Por pouco que beba**, o café tira-me o sono.
> Isto é, mesmo que beba só um golo, o café tira-me o sono.

Vejamos algumas combinações possíveis:

- **Por** + **advérbio** (grau normal) + **que** + **presente do conjuntivo**

> **Por muito que** me **peças**, não vou alterar a minha decisão.
> **Por pouco que seja**, aceito a tua oferta.
> **Por mais que tentes**, não vais conseguir.

- **Por** + **advérbio/adjectivo** (grau superlativo) + **que** + **presente do conjuntivo**

> **Por muito cansado que esteja**, está sempre pronto a ajudar os amigos.
> **Por pior que esteja** o tempo, o Manuel não perde um jogo de futebol.
> **Por muito tarde que chegues**, telefona-me.

- **Por** + **advérbio/adjectivo** + **substantivo** + **que** + **presente do conjuntivo**

> **Por mais dinheiro que** me **ofereçam**, não vendo a casa.
> **Por muitos anos que viva**, não vou esquecer este dia.

Unidade 5   Exercícios

5.1. Complete as frases com a forma correcta dos verbos dados.

1. Por muito que _____ (comer), ela não engorda.
2. Por pouco que _____ (dormir), estou sempre bem disposto.
3. Por mais que _____ (tentar), não consigo concentrar-me.
4. Por maiores que _____ (ser) as dificuldades, vamos para a frente com o projecto.
5. Por muito que _____ (dizer), já ninguém acredita nela.
6. Por pouco que _____ (fazer), sente-se logo cansado.
7. Por melhores que _____ (ser) as condições, não mudo de emprego.
8. Por muito dinheiro que _____ (ganhar), nunca lhes chega.
9. Por muito cara que _____ (ser), prefiro comprar uma casa em Lisboa.
10. Por muito cansado que me _____ (sentir), vou continuar a treinar.
11. Por mais que _____ (poupar), nunca têm dinheiro.
12. Por mais que me _____ (pedir), não mudo a minha opinião.
13. Por muito valioso que _____ (ser), não vendo o quadro.
14. Por muita falta que me _____ (fazer), empresto-te o dinheiro.
15. Por muito longe que _____ (ser), é melhor irmos de táxi.

5.2. Transforme as seguintes frases como no exemplo.

1. Ele pode comer muito, mas continua magríssimo.
   Por muito que coma, continua magríssimo _____.
2. Podes chorar, mas não te faço a vontade.
   Por muito que _____.
3. Estou farto de pensar, mas não consigo lembrar-me do nome.
   Por _____.
4. Apesar de ser uma viagem muito longa, prefiro ir e vir no mesmo dia.
   _____.
5. Ainda não tenho muita experiência, mas sei trabalhar com o computador.
   _____.
6. Ele vai a correr, mas já não apanha o comboio.
   _____.
7. Apesar de me sentir doente, vou trabalhar.
   _____.
8. O restaurante está muito cheio, mas não nos importamos de esperar.
   _____.
9. Estou sempre a poupar, mas nunca tenho dinheiro.
   _____.
10. Ela é muito famosa, mas continua a ser uma pessoa simples.
    _____.
11. Ele esforça-se imenso, mas não consegue aprender línguas.
    _____.
12. Apesar do miúdo ser muito esperto, vão descobrir que foi ele.
    _____.

Unidade 6 Presente do conjuntivo em **orações relativas**

Usamos o **presente do conjuntivo** em **orações relativas** cujo antecedente é **indefinido** ou **indeterminado**. A oração principal tem o verbo no presente do indicativo ou no imperativo e a oração relativa tem o verbo no presente do conjuntivo.

Exprimimos, deste modo, uma acção que ainda não aconteceu e como tal uma incerteza, um desejo.

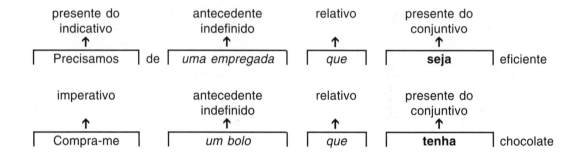

presente do indicativo		antecedente indefinido	relativo	presente do conjuntivo	
Precisamos	de	*uma empregada*	*que*	**seja**	eficiente

imperativo	antecedente indefinido	relativo	presente do conjuntivo	
Compra-me	*um bolo*	*que*	**tenha**	chocolate

Quero comprar *uma casa que* **fique** fora de Lisboa.
Vamos estudar para *uma sala onde* **haja** menos barulho.
Preciso de tomar *qualquer coisa que* me **tire** a sede.
Não conheço *ninguém que* **fale** tantas línguas como ele.
Vou à livraria comprar *um livro que* **tenha** tudo sobre culinária.

— Não há *ninguém que* me **possa** dar uma informação?
— Só um momento, por favor.

— Tem *horas que* me **diga**?
— São 10:30.

— Tens *uma caneta que* me **emprestes**?
— Toma lá.

Compare:

Vou a |*um supermercado*| *que* **fique** perto de casa ➔ **conjuntivo**
    antecedente indefinido

Vou |*ao supermercado*| *que* **fica** perto de casa ➔ **indicativo**
    antecedente definido

Ando à procura |*dum livro*| *que* **fale** da revolução ➔ **conjuntivo**
    antecedente indefinido

Ando à procura |*do livro*| *que* **fala** da revolução ➔ **indicativo**
    antecedente definido

Unidade 6   Exercícios

6.1. Complete com o **presente do indicativo** ou do **conjuntivo**.

1. Vamos ver um filme que não _____ (ser) muito pesado.
2. Gosto dos filmes que não _____ (ter) violência.
3. Vou alugar aquela casa que _____ (ficar) perto da praia.
4. Prefiro conduzir um carro que _____ (ter) direcção assistida.
5. Preciso do produto que _____ (tirar) as manchas de ferrugem.
6. Ela quer uma boneca que _____ (falar) e que _____ (andar).
7. Não consigo encontrar umas calças que me _____ (servir).
8. Vamos àquele restaurante que _____ (ter) sempre peixe fresco.
9. Tragam-me qualquer coisa que se _____ (comer).
10. Não conhecemos ninguém que _____ (saber) tanto do assunto como ele.
11. Empresta-me aquela borracha que _____ (apagar) tinta.
12. Passa-me o sal que _____ (estar) ali em cima da mesa.
13. Preciso de comprar uns sapatos que _____ (ser) confortáveis.
14. Estão a contratar pessoas que _____ (conhecer) bem a região.
15. Pode apresentar-me a alguém que _____ (falar) português?

6.2. Faça frases como no exemplo.

1. Gosto de laranjas com muito sumo.
   Gosto de laranjas que tenham muito sumo _____.
2. Ela prefere calças justas.
   _____.
3. Há alguém com experiência em computadores?
   _____?
4. Prefiro morar numa casa fora da cidade.
   _____.
5. Eles querem contratar uma empregada com boas referências.
   _____.
6. Vamos a um restaurante perto da praia.
   _____.

6.3. Complete com o **presente do conjuntivo**.

1. — Há alguém que me _____ (dar) uma informação?
   — Só um momento, por favor.
2. — Tem uma caneta que me _____ (poder) emprestar?
   — Aqui tem.
3. — Há algum lugar de onde se _____ (ver) bem?
   — Há um, na segunda fila.
4. — Não há ninguém que _____ (ir) ao banco?
   — Vou eu.
5. — Há alguma casa que _____ (estar) vaga em Agosto?
   — Já não há nenhuma.

Unidade 7 Presente do conjuntivo com **quem quer que**, **onde quer que**, etc; **quer ... quer...**

- Usamos o **presente do conjuntivo** depois de expressões como **onde quer que**, **quem quer que**, **o que quer que**, etc., e da conjunção alternativa **quer... quer**. O conteúdo da frase assim introduzida não é de maneira nenhuma importante para a concretização da acção na oração principal, reforçando, no entanto, a ideia que esta expressa.

A.

whoever *wherever*

Quem/ a quem/ de quem (...) Onde, por onde, para onde (...) O que Quando	quer	que	presente do conjuntivo
Qualquer *whatever* Quaisquer			

Exprime uma acção eventual, globalmente hipotética, integrando todas as alternativas possíveis, mas que não alteram a concretização da acção expressa na oração principal.

- Receberemos toda a gente com todo o prazer.
    → **Quem quer que venha**, será bem recebido.

- Ele leva a máquina fotográfica para todo o lado.
    → **Para onde quer que vá**, leva sempre a máquina fotográfica.

- Não posso comer nada. Tudo me faz mal.
    → **O que quer que coma**, faz-me mal.

- Ele tem sempre resposta para todas as perguntas.
    → **Qualquer que seja** a pergunta, ele tem sempre resposta.

B.

Quer	presente do conjuntivo	quer	presente do conjuntivo ou advérbio de negação "não"

either / or

Exprime uma identidade entre duas alternativas que, no entanto, não afectam o resultado final, isto é, não impedem a concretização da acção expressa na oração principal.

- Ele levanta-se sempre cedo, mesmo de férias.
    → **Quer esteja** a trabalhar **quer esteja** de férias, levanta-se cedo.

- Vais ter de me ouvir, mesmo que não queiras.
    → **Quer queiras quer não**, vais ter de me ouvir.

- Independentemente do resultado do jogo, eles já estão apurados para a fase seguinte.
    → **Quer percam quer ganhem** o jogo, já estão apurados para a fase seguinte.

Unidade 7 Exercícios

7.1. Complete com o **presente do conjuntivo.**

1. Quem quer que _____ (vir), será bem-vindo.
2. Ele faz o que quer que _____ (ser) para conseguir o emprego.
3. Para onde quer que _____ (ir), divertem-se sempre.
4. Por onde quer que _____ (vir), apanham sempre trânsito.
5. O que quer que _____ (dizer), já ninguém acredita em ti.
6. Quem quer que _____ (telefonar), diz que eu não estou.
7. Quando quer que eles _____ (chegar), estaremos em casa.
8. Qualquer que _____ (ser) o problema, é melhor contares-me.
9. Dou o meu bilhete a quem quer que o _____ (querer).
10. Espero que sejas feliz com quem quer que _____ (casar).
11. Onde quer que o dinheiro _____ (estar), está bem escondido. Ninguém o consegue encontrar.
12. O cão come o que quer que lhe _____ (dar).
13. Quaisquer que _____ (ser) as dificuldades, temos de enfrentá-las
14. Quem quer que _____ (responder) ao anúncio, tem de ser entrevistado.
15. O que quer que tu _____ (fazer), tem de ser bem feito.

7.2. Complete com o **presente do conjuntivo.**

1. Quer _____ (gostar) quer não, tens de ir ao dentista.
2. Vamos ao jogo, quer _____ (chover) quer _____ (fazer) sol.
3. Quer eles _____ (estar) em casa quer não, vou até lá.
4. Vocês têm de pagar, quer _____ (querer) quer não.
5. Quer _____ (ir) a vossa casa quer _____ (ficar) aqui, temos de comprar qualquer coisa para comer.
6. Quer _____ (vir) comigo quer _____ (ir) com eles, tens sempre de te levantar cedo.
7. Quer ele _____ (esforçar-se) quer não, não vai conseguir passar no exame.
8. Quer _____ (saber) a resposta quer não, tens de estar calada.
9. Ela está sempre com frio quer _____ (vestir) a camisola quer _____ (pôr) o casaco.
10. Quer _____ (deitar-se) cedo quer não, estou sempre cheio de sono.

7.3. Faça frases como no exemplo.

1. onde / estar // hei-de encontrá-los.
   Onde quer que estejam, hei-de encontrá-los.
2. qualquer / ser / a prenda // acho que vou gostar.
   _____.
3. o que / (tu) dizer // agora não tem importância.
   _____.
4. quem / fazer / isso // tem de fazê-lo bem.
   _____.
5. aonde / (eles) ir // encontram-se sempre.
   _____.
6. a quem / (tu) perguntar // a resposta será a mesma.
   _____.

7.4. Faça frases como no exemplo.

1. quer... quer / querer // têm de fazer o teste.
   Quer queiram quer não, têm de fazer o teste.
2. quer... quer / (nós) chegar a horas / atrasar-se // o chefe nunca está satisfeito.
   _____.
3. quer...quer / haver aulas // tenho de ir à faculdade.
   _____.
4. quer... quer / perder / ganhar // o João faz o totobola todas as semanas.
   _____.
5. quer... quer / (tu) vir // estou em casa o dia todo.
   _____.
6. quer... quer / (ela) estar doente // tem de ir trabalhar.
   _____.

Unidade 8 — Indicativo e conjuntivo com verbos de opinião e expressões de certeza e evidência

- Depois de **verbos de opinião** na forma **afirmativa** usamos o **indicativo**, na **negativa** usamos o **conjuntivo**.

verbos de opinião		
afirmativa	achar crer julgar parecer pensar } que	**indicativo**
negativa		**conjuntivo**

Acho que ela **está** com febre.	<u>indicativo</u>
Não acho que ela **esteja** com febre.	**conjuntivo**
Creio que hoje **fico** em casa.	**indicativo**
Não creio que hoje **fique** em casa.	**conjuntivo**
Julgo que **vai** chover.	**indicativo**
Não julgo que **vá** chover.	**conjuntivo**
Parece-me que **estás** muito preocupado.	**indicativo**
Não me parece que **estejas** muito preocupado.	**conjuntivo**
Penso que **posso** resolver o assunto.	**indicativo**
Não penso que **possa** resolver o assunto.	**conjuntivo**

- Depois de **expressões** que exprimem **certeza** ou **evidência**, usamos o **indicativo** quando estão na **afirmativa** e o **conjuntivo** quando estão na **negativa**.

expressões de certeza e evidência		
afirmativa	é certo é claro é evidente é lógico é óbvio é verdade } que	**indicativo**
negativa		**conjuntivo**

É certo que ele **é** bom aluno.	**indicativo**
Não é certo que ele **seja** bom aluno.	**conjuntivo**
É evidente que ela **está** a mentir.	**indicativo**
Não é evidente que ela **esteja** a mentir.	**conjuntivo**
É verdade que ele **come** mais que o irmão.	**indicativo**
Não é verdade que ele **coma** mais que o irmão.	**conjuntivo**

Unidade 8   Exercícios

8.1. Complete com o **presente do conjuntivo**.

1. Creio que vocês sabem a resposta.
   Não creio que _____.
2. Julgamos que é necessário contratar mais pessoal.
   Não julgamos que _____.
3. Penso que o filho dela já tem 10 anos.
   Não penso que _____.
4. Acho que eles vêm a horas.
   Não acho que _____.
5. Penso que há muito trânsito a esta hora.
   Não penso que _____.
6. Acho que tens razão.
   Não acho que _____.
7. Creio que são horas de saires.
   Não creio que _____.
8. Julgo que o tempo vai ficar bom.
   Não julgo que _____.
9. Acho que estás doente.
   Não acho que _____.
10. Parece-me que trazem prendas para todos.
    Não me parece que _____.
11. Julgo que consegues passar no exame.
    Não julgo que _____.

8.2. Responda como no exemplo.

1. — Achas que devo falar com ele?
   — *Não acho que devas falar com ele.*
2. — Pensas que a resposta está correcta?
   — _____.
3. — Parece-te que essa ideia é boa?
   — _____.
4. — Crês que vai estar bom tempo?
   — _____.
5. — Julgas que eles chegam a horas?
   — _____.
6. — Achas que ela gosta de música clássica?
   — _____.

8.3. Complete com o **presente do conjuntivo**.

1. É verdade que ele tem muitos amigos.
   Não é verdade que _____.
2. É evidente que eles são riquíssimos.
   Não é evidente que _____.
3. É lógico que eu faço o trabalho sozinho.
   Não é lógico que _____.
4. É verdade que estás mais gordo.
   Não é verdade que _____.
5. É certo que o João vem amanhã.
   Não é certo que _____.
6. É claro que lá nos dão todas as informações.
   Não é claro que _____.
7. É óbvio que eles sabem do assunto.
   Não é óbvio que _____.
8. É certo que ele consegue bater o recorde.
   Não é certo que _____.
9. É lógico que a Ana quer ficar em casa.
   Não é lógico que _____.
10. É verdade que não tenho tempo.
    Não é verdade que _____.

Unidade 9 Indicativo vs. conjuntivo

- Usamos o modo **indicativo** quando consideramos o facto expresso pelo verbo como **certo** e **real**.

- Ao usarmos o modo **conjuntivo**, pelo contrário, encaramos a existência ou não existência do facto como **incerta**, **duvidosa**, **eventual** ou, até mesmo, **irreal**.

Compare:

Indicativo	Conjuntivo
É evidente que ela não se **sente** bem.	É provável que ela não se **sinta** bem.
É verdade que ele **estuda** mais que o colega.	Não é verdade que ele **estude** mais que o colega.
Pensamos que os resultados **são** positivos.	Não pensamos que os resultados **sejam** positivos.
Acho que **vai** chover.	Não acho que **vá** chover.
Digo-te que eles **têm** muito dinheiro.	Duvido que eles **tenham** muito dinheiro.
Ela afirma que o anel **é** verdadeiro.	Ela nega que o anel **seja** verdadeiro.
Vamos àquele restaurante que **fica** perto da praia.	Vamos a um restaurante que **fique** perto da praia.
Quero o bolo que **tem** chocolate.	Quero um bolo que **tenha** chocolate.
Ela **é** uma boa profissional, mas nunca chega a horas.	Embora **seja** uma boa profissional, nunca chega a horas.
Se calhar eles só **vêm** amanhã.	Talvez eles só **venham** amanhã.

- Usamos o **indicativo** depois das locuções **de modo que**, **de forma que**, **de maneira que** quando pretendemos exprimir um facto, uma **certeza**.

  Ele fala *de modo que* toda a gente o **compreende**.
  (É um facto que toda a gente o compreende quando ele fala.)

- Usamos o **conjuntivo** depois das locuções **de modo que**, **de forma que**, **de maneira que** quando queremos exprimir um fim a que se pretende chegar e, portanto, **não há certeza** se a acção se vai realizar ou não.

  Ele vai falar *de modo que* toda a gente o **compreenda**.
  (Ele ainda não falou, portanto não há certeza se toda a gente o vai compreender ou não.)

Consecutivas

de (tal) forma que de (tal) maneira que de (tal) modo que	→ iniciam uma oração na qual se indica a consequência do que foi declarado na anterior.

Unidade 9   Exercícios

9.1. Complete com os verbos no **presente do indicativo** ou **do conjuntivo**.

1. Hoje não _____ (haver) aulas, ainda que os professores _____ (estar) na escola.
2. Acho que ela talvez _____ (ser) muito ambiciosa, mas _____ (conseguir) sempre o que _____ (querer).
3. Vejo que todos _____ (concordar) com o que eu _____ (dizer).
4. Mesmo que me _____ (pagar) melhor, não _____ (mudar) de emprego.
5. Prefiro que vocês _____ (treinar) lá fora, a não ser que _____ (estar) a chover.
6. Não sei se eles já _____ (saber) as novidades.
7. Receio que não _____ (conhecer) toda a gente que _____ (ir) à tua festa.
8. Quer _____ (querer) quer não, tens de falar com ele.
9. Andamos à procura duma casa que _____ (ter) vista para o mar.
10. Digo-te que não _____ (valer) a pena comprar os produtos que _____ (são) mais baratos.
11. Não penso que _____ (ter) razão quando _____ (dizer) que ela só _____ (interessar-se) por dinheiro.
12. É bem possível que os aviões _____ (atrasar-se), pois o tempo _____ (estar) péssimo.
13. Caso não _____ (poder) vir, avisa-me sem falta.
14. É provável que ele _____ (trazer) a família. Nesse caso, eles _____ (ficar) no piso de cima.
15. Embora ela já _____ (falar) fluentemente a língua, ainda _____ (fazer) alguns erros.
16. Quando eu _____ (levar) o carro para o emprego, nunca _____ (encontrar) lugar para estacionar.
17. É claro que preço e qualidade _____ (estar) relacionados.
18. Duvidamos muito que eles _____ (aceitar) estas condições.
19. Por mais que ela _____ (pensar), não _____ (conseguir) resolver o problema.
20. Oxalá a viagem _____ (correr) bem!

9.2. **Presente do indicativo** ou **do conjuntivo**?

1. Conduzes de tal maneira que ninguém _____ (querer) ir contigo de carro.

2. Não conduzas de tal forma que as pessoas _____ (ter) medo de andar contigo.

3. Coloca o quadro de maneira que todos _____ (ver) bem.

4. Colocaram o quadro de modo que todos _____ (ver) bem.

5. Vou mandar arranjar o telhado de maneira que a chuva não _____ (entrar).

6. O telhado foi arranjado de tal modo que já não _____ (cair) água na arrecadação.

7. Ele fala de tal forma que as pessoas _____ (ficar) convencidas.

8. Tens de falar de maneira que as pessoas _____ (ficar) convencidas.

Unidade 10 Imperfeito do conjuntivo em orações exclamativas e comparativas

Pretérito imperfeito do conjuntivo

- Forma-se a partir da 3ª pessoa do plural do pretérito perfeito simples do indicativo (P.P.S.), a que se retira a terminação **-ram** e se acrescenta **-sse**. Não há excepções.

	P.P.S.	Imperfeito do conjuntivo
	3ª pessoa do plural	1ª pessoa do singular
estar	estive**ram**	estive**sse**
ver	vi**ram**	vi**sse**
abrir	abri**ram**	abri**sse**
pôr	puse**ram**	puse**sse**

Imperfeito do conjuntivo

	-ar	-er	-ir
eu	fala**sse**	come**sse**	abri**sse**
tu	fala**sses**	come**sses**	abri**sses**
você ele ela	fala**sse**	come**sse**	abri**sse**
nós	falá**ssemos**	come**ssemos**	abri**ssemos**
vocês eles elas	fala**ssem**	come**ssem**	abri**ssem**

- Usamos o **imperfeito do conjuntivo** em frases **exclamativas** para exprimir um **desejo** e **comparativas** para traduzir **situações irreais** ou **hipotéticas**.

Situação factual	Desejo (sobre uma situação que não se verifica no presente)
Os meus pais estão no estrangeiro. Ela não pode vir à festa. Não tenho dinheiro para as férias.	*Quem me dera que* **estivessem** cá! *Oxalá* **pudesse** vir! *Tomara que* **tivesse**!
Situação factual	**Situação irreal/hipotética**
Ele parece um macaco a subir às árvores.	Ele sobe às árvores *como se* **fosse** um macaco. (Ele não é um macaco.)
Ela fala tão bem francês que até parece francesa.	Ela fala francês *como se* **fosse** francesa. (Ela não é francesa.)

Unidade 10   Exercícios

10.1. Complete as frases exclamativas com o **imperfeito do conjuntivo**.

1. A Ana quer fazer dieta, mas acha que vai ser difícil habituar-se a comer menos.
   Oxalá eu não *gostasse tanto de comer !* (gostar)
2. O João gostava de tirar a carta de condução, mas não tem dinheiro para isso.
   Quem me dera que eu _____ (ter)
3. O Paulo tem de aprender inglês, mas acha que não vai conseguir.
   Tomara que eu _____ (conseguir)
4. A Joana quer ser bailarina, mas não pode, porque é muito alta.
   Oxalá eu _____ (poder)
5. Ele preocupa-se imenso com os problemas lá no emprego.
   Tomara que ele não _____ (preocupar-se)
6. Ela não vem connosco. Tem exame amanhã.
   Quem me dera que _____ (vir)
7. Ele fuma muito e não consegue deixar de fumar.
   Tomara que ele _____ (deixar)
8. Vivemos muito longe de Lisboa.
   Oxalá nós _____ (viver)
9. Estou cheio de febre. Não me sinto nada bem.
   Quem me dera que tu não _____ (estar)
10. Já estou velha para ir a discotecas.
    Oxalá eu _____ (ser)

10.2. Complete as frases comparativas com o **imperfeito do conjuntivo**.

1. Da maneira como fala até parece que percebe muito do assunto.
   Ele fala como se *percebesse muito do assunto*.
2. Eles tratam-me tão bem. Até parece que sou filho deles.
   Eles tratam-me como se _____.
3. Ele porta-se sempre mal. Até parece uma criança.
   Ele porta-se como se _____.
4. Não gosto do Rui. Tem a mania que sabe tudo.
   Fala como se _____.
5. Ele ignora-me completamente. Até parece que eu não existo.
   Ele ignora-me como se _____.
6. Ela gasta muito dinheiro. Até parece que nasce das árvores.
   Ela gasta dinheiro como se _____.

10.3. Complete com o verbo no **imperfeito do conjuntivo**.

1. Ela não me conhece. Então porque é que sorriu para mim como se me _____?
2. O Sr. Teixeira só tem 50 anos, mas estão a falar dele como se _____ 80 anos.
3. Ele não é o meu patrão, mas às vezes age como se _____.
4. Não fazes anos hoje, mas é como se _____. Toma lá esta prenda.
5. Está imenso frio. É como se (nós) _____ no Inverno.
6. Ela não gosta de bacalhau, mas até está a comer como se _____.

Unidade 11 Se com imperfeito do conjuntivo

• Usamos o **imperfeito do conjuntivo** em orações condicionais introduzidas pela conjunção **se,** em que a condição expressa é irreal, imaginária ou hipotética.

oração subordinada	oração subordinante
se + imperfeito do conjuntivo	**imperfeito do indicativo ou condicional presente**

A. *Se* eu **fosse** a ti, não **interferia** nesse assunto.

«Se eu fosse a ti» significa que de facto não sou nem poderei ser. É uma condição totalmente irreal e, como tal, a 2ª parte da frase *«não interferia nesse assunto»* não se concretiza.

B. *Se* eu **fosse** milionário, **comprava** um iate.

«Se eu fosse milionário» significa que de facto não sou milionário e que estou apenas a imaginar. É uma condição imaginária, irreal, que não se verifica no presente e, portanto, a 2ª parte da frase - *«comprava um iate»* - não se concretiza.

C. *Se* **levássemos** o carro, **chegávamos** lá mais depressa.

«Se levássemos o carro» significa que *levar o carro* é uma mera hipótese que teria como consequência *«chegar mais depressa»* ao destino. Esta situação pode traduzir:

a) uma hipótese não concretizável, porque o carro não está disponível, por exemplo.
b) uma hipótese concretizável, isto é, uma sugestão que venha a ser aceite, concretizando-se assim a acção expressa na 2ª oração.

Vejamos então as duas situações em contexto:

A — Se levássemos o carro, chegávamos lá mais depressa.

— Pois era, mas o carro está na oficina.   ↗↘ hipótese não concretizável

B — Se levássemos o carro, chegávamos lá mais depressa.

— Boa ideia. Eu peço o carro ao meu pai.   ↗↘ hipótese concretizável

Unidade 11   Exercícios

11.1. Complete as frases como no exemplo.

1. A Ana viaja muito. Por isso, passa pouco tempo com a família.
   Se *a Ana não viajasse tanto, passava mais tempo com a família.* __.
2. O quarto não está arrumado. Não consigo encontrar as minhas coisas.
   Se _____.
3. O elevador não funciona. Temos de descer os 9 andares a pé.
   Se _____.
4. O anel não é de ouro. Por isso, não vale quase nada.
   Se _____.
5. Lês pouco. Por isso é que dás tantos erros.
   Se _____.
6. Vocês estão sempre a falar durante as aulas. Por isso não aprendem nada.
   Se _____.

11.2. Complete as frases de acordo com o exemplo.

1. Não te ajudo, porque não me deixas.
   Se *me deixasses, eu ajudava-te.* ____.
2. Não vou falar com ela, porque não a conheço bem.
   Se _____.
3. Não posso fazer o bolo, porque não há ovos.
   Se _____.
4. Não respondo ao anúncio, porque não sei alemão.
   Se _____.
5. Não me zango contigo, porque fazes hoje anos.
   Se _____.
6. Não te peço desculpas, porque não tens razão.
   Se _____.

11.3. Complete com o **imperfeito do conjuntivo**

1. Se eu *fosse* (ser) a ti, não me metia nesse assunto.
2. Se ela _____ (estar) aqui, responderia a essa pergunta.
3. Se eles _____ (ter) dinheiro, não viveriam em tão más condições.
4. Se _____ (ser) mais ambicioso, tentavas arranjar outro emprego.
5. Se eu _____ (ganhar) a lotaria, dava a volta ao mundo.
6. Se _____ (partir) já, chegávamos dentro de uma hora.
7. Se _____ (saber) guiar, comprava um carro.
8. Se ele _____ (pagar) as dívidas, seria mais respeitado.
9. Se te _____ (dar) um milhão de contos, o que é que fazias?
10. Se amanhã vocês _____ (trazer) o carro, podíamos ir passear.
11. Se ela _____ (ver) o filme, ia gostar com certeza.

11.4. O que é que **faria** se **fosse confrontado** com as seguintes situações?

1. Imagine que lhe ofereciam 2 empregos, um interessante e mal remunerado, o outro monótono e bem remunerado. Qual deles é que aceitaria?
   Se _____
   _____
2. Imagine que encontrava uma carteira na rua com 149.6 € e com a identificação da pessoa.
   O que é que faria?
   Se _____
   _____
3. Imagine que, ao chegar a casa, se apercebia que esta estava a ser assaltada. O que é que fazia?
   _____
   _____
4. Imagine que um filho ou uma filha sua queria casar com alguém de diferente nacionalidade, raça ou religião. Como é que reagiria?
   _____
   _____
5. Imagine que via alguém a roubar num supermercado. O que é que faria?
   _____
   _____

Unidade 12 Imperfeito do conjuntivo vs. presente do conjuntivo

- Usa-se nos mesmos casos do presente do conjuntivo quando o verbo da oração principal está no passado.

- Pode traduzir uma acção **presente**, **passada** ou **futura** em relação ao momento em que se fala.

A • **Presente**
   Era bom que **tivesse** muito dinheiro; deixava já de trabalhar.

B • **Passado**
   Na semana passada fui ao médico *para que* me **receitasse** um antibiótico.

C • **Futuro**
   Era óptimo que não **chovesse** no próximo fim-de-semana.

Presente do conjuntivo	Imperfeito do conjuntivo
É preferível que à noite **venhas** de táxi.	**Era preferível** que à noite **viesses** de táxi.
É bom que possam vir todos.	**Era bom que podessem** vir todos.
Vou falar com ele **para que** me **explique** o que aconteceu.	Falei com ele **para que** me **explicasse** o que aconteceu.
Embora esteja doente, vou trabalhar.	**Embora estivesse** doente, fui trabalhar.
Tudo tem de estar pronto **antes que** eles **cheguem**	Tudo tinha de estar pronto **antes que** eles **chegassem**
Quero comprar **uma camisola que seja** bem quentinha.	Queria comprar **uma camisola que fosse** bem quentinha.
Por **onde quer que vamos** apanhamos sempre trânsito.	Por **onde quer que fôssemos** apanhávamos sempre trânsito.
Quer gostes quer não, tens de comer tudo.	**Quer gostasses quer não**, tinhas de comer tudo.
Tenho pena que não **fiquem** até ao fim.	**Tive pena que** não **ficassem** até ao fim.
Convém que tragam agasalhos.	**Convinha que trouxessem** agasalhos.
Prefiro que ela não **saia** sozinha.	**Preferia que** ela não **saisse** sozinha.
Por mais que tente, não consigo resolver o problema.	**Por mais que tentasse**, não conseguia resolver o problema.
Por pouco que coma, não consegue emagrecer.	**Por pouco que comesse**, não conseguia emagrecer
Hoje em dia **talvez haja** mais violência na televisão.	Antigamente **talvez houvesse** menos violência na televisão

Unidade 12   Exercícios

12.1. Complete as seguintes frases com o **imperfeito do conjuntivo.**

1.

A - A Joana queria tirar o curso de medicina, mas para entrar na Universidade, era necessário que...
- _____ (ter) notas muito altas;
- _____ (haver) vagas;
- _____ (estudar) muito;
- os pais lhe _____ (pagar) as propinas.

B - Para que o Rui e a Teresa pudessem ir passar o fim-de-semana a casa de uns amigos, era preciso que...
- _____ (pedir) autorização aos pais;
- o pai lhes _____ (emprestar) o carro;
- _____ (fazer) primeiro os trabalhos de casa;
- _____ (dar) a morada da casa aos pais.

12.2. Transforme as seguintes frases como no exemplo.

1. Embora não se sinta bem, vai connosco à festa.
   Embora não se sentisse bem, foi connosco à festa.
2. É possível que tenha tempo para acabar o trabalho.
   Era possível que tivesse tempo para acabar o trabalho.
3. Ele acha óptimo que os filhos pratiquem desporto na escola.
   _____ .
4. Talvez possa ir ao cinema com vocês.
   _____ .
5. Eles esperam que não seja nada de grave.
   _____ .
6. Pode ser que o novo método dê resultado.
   _____ .
7. Tenho pena que ela não esteja cá.
   _____ .
8. Duvido que eles tragam os documentos bem preenchidos.
   _____ .
9. Mesmo que seja caro, eu não me importo.
   _____ .
10. Quero que vás ao supermercado buscar leite.
    _____ .
11. Caso haja muita gente, volta noutro dia.
    _____ .
12. Por muito que lhe peçam, não vai mudar a sua opinião.
    _____ .
13. Quer queiras quer não, tens de contar o que se passou.
    _____ .
14. Prefiro mudar para uma escola onde haja menos barulho.
    _____ .
15. Vou apanhar um táxi para que não chegue atrasado
    _____ .

12.3. Complete as seguintes frases com os verbos no **imperfeito do indicativo** ou no **imperfeito do conjuntivo.**

1. O que me _____ (apetecer) agora _____ (ser) ir para casa.
   Mas talvez _____ (dever) falar com ela primeiro para que _____ (poder) resolver
   a situação. Se _____ (conseguir) esclarecer tudo, _____ (ficar) de certeza mais
   bem disposto e não _____ (pensar) mais no assunto. E se ela não _____ (querer)
   falar comigo? Por muito que lhe _____ (custar), _____ (ter) de me ouvir.
   Quer _____ (gostar) quer não, _____ (ter) de me dar uma oportunidade. E se
   ela já não_____ (estar) no escritório? Então _____ (voltar) tudo à estaca zero e
   amanhã _____ (tomar) uma decisão antes que _____ (ser) tarde demais.

Unidade 13 Futuro do conjuntivo com conjunções e locuções

- Encontra-se a 1ª pessoa do singular do futuro do conjuntivo retirando a desinência **-am** da 3ª pessoa do plural do pretérito prefeito simples do indicativo (P.P.S.). Não há excepções.

	P.P.S.	Futuro do conjuntivo
	3ª pessoa do plural	1ª pessoa do singular
comprar	comprar**am**	comprar
trazer	trouxer**am**	trouxer
ir	for**am**	for
pôr	puser**am**	puser

Futuro do conjuntivo

	-ar	-er	-ir
eu	comprar	beber	abrir
tu	comprar**es**	beber**es**	abrir**es**
você ele ela	comprar	beber	abrir
nós	comprar**mos**	beber**mos**	abrir**mos**
vocês eles elas	comprar**em**	beber**em**	abrir**em**

- Usamos o **futuro do conjuntivo** depois de determinadas **conjunções / locuções** para expressar uma acção no futuro.

Assim que **chegarem** ao aeroporto, telefonem-me.
Logo que me **sentir** melhor, vou trabalhar.
Enquanto **estiveres** com febre, não podes sair
Tenciono escrever-lhes *sempre que* **puder**.
Todas as vezes que **vier** a Portugal, vou lembrar-me de vocês.
Quando **forem** 7:00, acorda-me.
Faz *como* **quiseres**.
Trate do assunto *conforme* **achar** melhor.
Se **perguntarmos** a um polícia, ele indica-nos o caminho.

Unidade 13 Exercícios

13.1. Complete com os seguintes verbos no **futuro do conjuntivo**.

1. ser/eu _____
2. falar/nós _____
3. pôr/ele _____
4. saber/elas_____
5. vender/tu _____
6. ver/você _____
7. ir/ela _____
8. trazer/vocês_____
9. partir/eu _____
10. querer/eles _____
11. ler/nós _____
12. dar/tu _____
13. pedir/ele _____
14. vir/nós _____
15. poder/tu _____
16. dizer/você _____
17. dormir/eles_____
18. ter/eu _____
19. estar/ela _____
20. pôr/vocês_____
21. vir/eles _____
22. ir/nós _____
23. trazer/ele_____
24. ser/tu _____

13.2. Complete com os verbos no **futuro do conjuntivo**.

1. Vão ficar muito satisfeitos quando _souberem_ (saber) as novidades.
2. Se ainda _____ (haver) bilhetes, comprem um para mim.
3. Logo que nos _____ (mudar), aviso-te.
4. Todas as vezes que _____ (errar) uma conta, tens de fazer tudo de novo.
5. Enquanto não _____ (pôr) os óculos, continuas com dores de cabeça.
6. Se vocês _____ (querer), podem passar cá o fim-de-semana.
7. Assim que _____ (chegar) a casa, vou-me deitar. Estou estafada.
8. — Vem trabalhar amanhã?
   — Depende de como me _____ (sentir). Se _____ (estar) melhor, vou.
   Se _____ (ter) febre, continuo em casa.
9. Enquanto _____ (ser) bem tratado, não vejo razão para me despedir.
10. Tratem do assunto conforme _____ (querer).
11. Se eles _____ (vir) de comboio, não apanham trânsito.
12. Quando _____ (ser) grande, quero ser médico.
13. Assim que _____ (terminar), podem sair.
14. Enquanto os transportes públicos _____ (estar) em greve, temos de levar o carro.
15. Sempre que _____ (ir) a Coimbra, vou visitar-te.

13.3. Complete as frases com os verbos no **futuro do conjuntivo**.

1. De certeza que vais gostar quando _ouvires esta música_ _____.
   (ouvir/música)
2. Traz-me um bolo se _____.
   (ir/café)
3. Não podes avançar enquanto _____.
   (sinal/estar/vermelho)
4. Vou ter saudades vossas todas as vezes que _____.
   (ver/fotografias)
5. Dou-te uma prenda quando _____.
   (fazer/anos)

13.4. Transforme as seguintes frases de modo a usar uma **conjunção/locução** seguida do **futuro do conjuntivo**.

1. Chegando a Lisboa, telefono-vos.
   Quando/Assim que/Logo que chegar a Lisboa, telefono-vos.
2. Indo no comboio das 21:00, chego lá por volta da meia-noite.
   _____.
3. Em tendo tempo, vamos visitar-te.
   _____.
4. Estando melhor, posso participar no jogo.
   _____.
5. Pondo os óculos, vês melhor.
   _____.

Unidade 14 Futuro do conjuntivo em orações relativas

- Usamos o futuro do conjuntivo depois de:
  - pronomes relativos invariáveis **quem** e **onde**, sem antecedentes expressos;
  - pronome relativo invariável **que**, precedido de antecedente.

- A frase relativa tem o verbo no **futuro do conjuntivo** e a frase principal pode ter o verbo no **presente do indicativo**, **futuro do indicativo** ou **imperativo**.

Exprimimos, deste modo, uma situação eventual no futuro, isto é, uma situação que poderá ou não acontecer no futuro.

Sem antecedente expresso

Quem vier depois da hora, não pode entrar.
Quem vier depois da hora, não poderá entrar.

Fico **onde** vocês ficarem
Irei para **onde** quiserem
Vá **aonde** eu lhe indicar

presente indicativo + futuro conjuntivo
futuro indicativo + futuro conjuntivo
imperativo + futuro conjuntivo

Com antecedentes expressos

Aquele que vier depois da hora, não poderá entrar.
[Quem]

Fico **em qualquer lugar que** vocês ficarem.
       [onde]

Irei **para qualquer lugar que** vocês quiserem.
       [para onde]

Vá **a qualquer lugar que** eu lhe indicar.
       [aonde]

Unidade 14   Exercícios

14.1. Complete com o verbo no **futuro do conjuntivo**.

1. Todas as pessoas que _____ (ser) convidadas, serão bem recebidas.
2. Vou aonde vocês _____ (ir).
3. Dá-se uma gratificação a quem _____ (encontrar) a carteira.
4. Podes escolher o tema que _____ (querer).
5. Quem _____ (estar) contra, levante a mão.
6. Faça o melhor que _____ (poder).
7. Aqueles que me _____ (ajudar), serão recompensados.
8. Quem _____ (ter) dúvidas, fala comigo.
9. Ele irá aonde nós o _____ (mandar).
10. Tudo o que ele _____ (dizer) sobre nós, é mentira.

14.2. Transforme as seguintes frases como no exemplo.

1. Todos os participantes do curso ficarão habilitados a uma bolsa de estudo (a) todos os que/(b) quem
a) *Todos os que participarem no curso, ficarão habilitados a uma bolsa de estudo.*
b) *Quem participar no curso, ficará habilitado a uma bolsa de estudo.*

2. Sentem-se nos lugares indicados por mim. (onde)
_____.

3. Só as pessoas com muita paciência conseguem resolver esse enigma. (a)quem/(b)aqueles que
a) _____.
b) _____.

4. Os primeiros a chegarem poderão escolher os melhores lugares. (a)os que/(b)quem
a) _____.
b) _____.

5. Os candidatos ao lugar terão de se submeter a uma entrevista. (a)quem/(b)todos aqueles
a) _____.
b) _____.

6. Os interessados devem inscrever-se até ao fim do mês. (a) aqueles que/(b)quem
a) _____.
b) _____.

14.3. Transforme as seguintes frases de modo a usar um **pronome relativo** e o verbo no **futuro do conjuntivo**.

1. Pode experimentar **qualquer perfume**.
   Pode experimentar o perfume que quiser.
2. O professor dará um prémio ao **aluno com melhores notas**.
_____.

3. Podem fazer um desenho sobre **qualquer tema**.
_____.

4. Vou gravar **toda a vossa conversa**.
_____.

5. Vou com vocês **a qualquer lugar**.
_____.

Unidade 15   Presente e futuro do conjuntivo em orações concessivas com repetição do verbo

- Usamos o **presente do conjuntivo + elemento de ligação + futuro do conjuntivo**, com repetição do verbo, para expressar uma concessão absoluta, uma ausência total de condições. A acção expressa na frase principal — verbo no indicativo ou imperativo — realizar-se-á independentemente da dificuldade ou obstáculo expressos na frase anterior.

Presente do conjuntivo	Elemento de ligação	Futuro do conjuntivo	Frase principal
chegue	a que horas	**chegar,**	estarei à sua espera.
comas	o que	**comeres,**	não consegues emagrecer.
digam	o que	**disserem,**	não faças caso.
esteja	onde	**estiver,**	hei-de encontrá-la.
faças	como	**fizeres,**	ficará bom com certeza.
haja	o que	**houver,**	temos de manter a calma.
ouças	o que	**ouvires,**	não prestes atenção.
sejam	quantos	**forem,**	podem entrar todos.
vá	por onde	**for,**	há sempre muito trânsito.
venha	quem	**vier,**	será bem recebido.

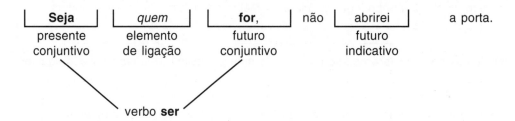

Qualquer pessoa pode tocar à porta, seja conhecida ou não, mas, em qualquer dos casos, não abrirei a porta.

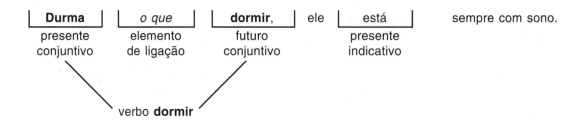

Ele pode dormir muito ou dormir pouco, mas, em qualquer dos casos, está sempre com sono.

Unidade 15   Exercícios

15.1. Complete com o verbo na forma correcta

1. Digas o que _____ , já não acredito em ti.

2. _____ quem vier, será bem-vindo.

3. Vá para onde _____ , leva sempre o cão.

4. _____ com quem falar, ninguém me dá as informações correctas.

5. _____ a que horas chegarem, vamos buscá-los à estação.

6. Tragas o que _____ , vou gostar com certeza.

15.2. Transforme as seguintes frases como no exemplo.

1. Não abras a porta *a quem quer que seja*.
   Seja a quem for, não abras a porta.
2. O que quer que vista, tudo lhe fica bem.

   _____.

3. Vou ter contigo onde quer que estejas.

   _____.

4. O que quer que digas, tens sempre razão.

   _____.

5. Podem contar comigo para o que quer que seja.

   _____.

6. Por onde quer que vás, há sempre muito trânsito.

   _____.

15.3. Complete com os verbos dados na forma correcta.

1. _____ o que _____ , têm de estar preparados. (houver)
2. _____ a quem _____ , ninguém te dará uma resposta convincente. (perguntar)
3. _____ o que _____ , temos de ganhar esta prova. (custar)
4. _____ onde _____ , vou ter com vocês. (estar)
5 _____ quando _____ , estou em casa à vossa espera. (vir)
6. _____ quais _____ as consequências, vou já esclarecer este assunto. (ser)
7. _____ o que _____ , gasto sempre tudo. (ganhar)
8. _____ o que _____ , ela nunca engorda. (comer)
9. _____ como _____ , vais chegar atrasado. (ir)
10. _____ com quem_____ , é sempre muito simpático. (falar)
11. _____ o que _____ , não prestes atenção. (ouvir)

Unidade 16 Se com futuro do conjuntivo

- Usamos o futuro do conjuntivo em orações condicionais introduzidas pela conjunção **se,** em que a condição expressa é uma hipótese possível de se concretizar no futuro.

oração subordinada	oração subordinante
se + **futuro do conjuntivo**	A. presente do indicativo B. futuro do indicativo C. imperativo

A.

Rui: Acho que deixei o isqueiro em tua casa ontem. Por acaso viste-o?

Ana: Não, mas vou procurá-lo. *Se* o **encontrar**, dou-to.

Raquel: No próximo fim de semana tenho um casamento.
O problema é que não tenho nada para vestir.

Paula: Penso que a minha irmã te pode emprestar.
Se **fores** lá a casa, experimentas os vestidos dela.

B.

António: A Ana faz anos amanhã. Já compraste alguma prenda?

Carla: Ainda não. É uma altura péssima, porque estou sem dinheiro.

António: Olha, podemos juntar-nos todos e *se* **dividirmos** a prenda entre nós, sairá mais barato.

C.

Teresa: Estamos a combinar ir à Serra da Estrela pelo Ano Novo. Contamos contigo?

João: Infelizmente não posso, mas *se* **forem**, tragam-me um queijo da Serra.

D. Isabel: Hoje vou ficar a trabalhar até mais tarde.

Sr. Dias: *Se* **sair** depois do segurança, ligue o alarme.

Unidade 16   Exercícios

16.1. Combine as frases do **grupo A** com as frases do **grupo B**.

A.

    1. Se não puseres a carne no frigorífico
    2. Se passar no exame
    3. Se nos levantarmos cedo
    4. Se não parares de comer chocolate
    5. Se for promovido

B.

    1. tenho hipótese de fazer um estágio em Inglaterra
    2. vais ficar com dores de barriga
    3. estraga-se
    4. terei um gabinete novo
    5. podemos apanhar o comboio das 8:00

16.2. Ponha os verbos na forma correcta.

    1. Se _____(ter) tempo, vou visitar-te.
    2. Eu _____(ficar) surpreendido se ela _____(vir) a horas.
    3. Se carregar no botão, a porta _____(abrir-se).
    4. Se _____(chegar) cedo, telefonem-me.
    5. Diz-me se _____(precisar) de ajuda.
    6. Se _____(sentir-se) cansado amanhã, não vou trabalhar.
    7. Se não _____(pôr) a camisola, vais ficar constipado.
    8. Se _____(despachar-se), ainda chegam a tempo.
    9. Se _____(ser) transferido para o Porto, ponho a casa à venda.
  10. Se não_____(estar) ninguém em casa, deixo a encomenda na porteira.

16.3. Faça frases de modo a expressar uma **hipótese** de se concretizar no **futuro**.

    1. É capaz de chover. Portanto, é melhor jantarmos em casa.
       *Se chover, jantamos em casa.*_____
    2. É bem possível que ele seja seleccionado para o jogo. Ganhamos com certeza.
    _____.
    3. Porque é que não pedes um aumento? Provavelmente dão-to.
    _____.
    4. Esse quadro pode ser valioso. Nesse caso vendemo-lo.
    _____.
    5. Devo chegar mais cedo. Portanto, poderei ajudar-te com os trabalhos de casa.
    _____.
    6. A festa deve acabar às tantas. Acho que me vou embora mais cedo.
    _____.
    7. É provável que o gatinho morra. O João vai ficar muito triste.
    _____.
    8. Porque é que não fazes o exame em Julho? Terás mais tempo para estudar.
    _____.
    9. É possível que não venham no comboio das 20:00. Nesse caso vou buscá-los à estação.
    _____.
  10. Amanhã não devo estar no escritório. Adiamos a reunião para quarta-feira.
    _____.

Unidade 17 Pretérito perfeito composto e futuro perfeito do conjuntivo

A. | Pretérito perfeito composto do conjuntivo |

- Forma-se com o verbo auxiliar **ter** no **presente do conjuntivo** e o **particípio passado** do **verbo principal**.

- Usa-se o pretérito perfeito composto do conjuntivo para falar de uma acção já realizada em relação ao presente (1) ou ao futuro (2).

  As expressões e verbos que determinam o uso do pretérito perfeito composto do conjuntivo são os mesmos do presente do conjuntivo (unidades 1 a 7).

1. A Joana teve ontem a prova específica de matemática, mas não se sentia preparada.
   Duvido que o exame lhe **tenha corrido** bem.

2. Vou sair e volto por volta das 18h00.
   Espero que **tenhas arrumado** o quarto, quando eu chegar.

B. | Futuro perfeito do conjuntivo |

- Forma-se com o verbo auxiliar **ter** no **futuro imperfeito do conjuntivo** e o **particípio passado** do **verbo principal.**

- Usa-se o futuro composto do conjuntivo para falar de uma acção futura terminada em relação a outro facto também futuro.

  As expressões e verbos que determinam o uso do futuro composto do conjuntivo são os mesmos do futuro do conjuntivo (unidade 8).

  Quando **tiverem terminado** o trabalho, podem sair.

  Assim que **tiver visto** o filme, empresto-te a cassete video.

  Se até às 10 horas ninguém **tiver chegado**, cancelem a reunião.

Unidade 17   Exercícios

17.1. Complete com os verbos no **pretérito perfeito composto do conjuntivo**.

1. Embora ela já _____ (sair) há muito tempo, ainda não chegou a casa.
2. Só espero que _____ (dizer) a verdade.
3. Aonde quer que eles _____ (ir), já cá deviam estar.
4. Caso tu já _____ (ler) o livro, empresta-mo amanhã.
5. Não saio daqui até que vocês _____ (tomar) uma decisão.

17.2. Complete as frases como no exemplo.

1. Talvez o doutor já esteja no consultório.
   Talvez o doutor já *tenha chegado* ao consultório. (chegar)
2. Receio que ela esteja fora.
   Receio que ela _____ para o estrangeiro. (ir)
3. É provável que ele esteja doente, depois de tudo o que comeu.
   É provável que ele _____ doente depois de tudo o que comeu. (ficar)
4. Duvido que vocês já estejam prontos quando eu chegar.
   Duvido que vocês já _____ quando eu chegar. (arranjar-se)
5. É possível que ela esteja ofendida com o que lhe disse.
   É possível que eu a _____ com o que lhe disse (ofender)

17.3. Complete com os verbos no **futuro perfeito do conjuntivo**.

1. Assim que eles _____ (mudar-se), vou visitá-los.
2. Só quando _____ (fazer) os trabalhos, é que podes sair.
3. Enquanto os jovens não _____ (atingir) os quinze anos de idade, não poderão deixar a escola.
4. Logo que _____ (receber) todas as inscrições, abriremos o curso.
5. Quando os professores _____ (ver) todas as provas e _____ (reunir-se), as notas serão afixadas.

17.4. Complete as frases como no exemplo.

1. Terminados os exames, poderei descansar.
   Quando *os exames tiverem terminado, poderei descansar.*
2. Visto o museu, vamos visitar o castelo.
   Assim que _____.
3. Acabada a reunião, vamos todos ao café.
   Quando _____.
4. Feitas as contas, saberemos quanto cabe a cada um.
   Logo que _____.
5. Completando o 9º ano, poderás optar por uma área profissional.
   Quando _____.
6. Recebendo o dinheiro amanhã, vou passar o fim-de-semana fora.
   Se _____.

Unidade 18 Pretérito mais-que-perfeito composto do conjuntivo

- Forma-se com o verbo auxiliar **ter** no **imperfeito do conjuntivo** e o **particípio passado** do **verbo principal**.

- Usa-se o **pretérito mais-que-perfeito composto do conjuntivo** para falar de:

  - | acções passadas anteriores a outras também passadas |

    Embora **tivesse ido** à festa, não se divertiu porque estava doente.
    Gostei que eles **tivessem vindo** connosco. Foi um fim-de-semana divertidíssimo.

  - | acções irreais, isto é, que não se concretizaram no passado |

    O acidente foi causado pelo excesso de álcool.

    O condutor bebeu demais; por isso teve um acidente.

    Se o condutor não **tivesse bebido** tanto, não tinha tido um acidente.

  - | frases exclamativas, regido pela expressão *quem me dera que*. O emissor lamenta que determinada acção ou facto não se tenha concretizado, ou seja, expressa o desejo de que a situação inversa tivesse ocorrido. |

    O Pedro não entrou na faculdade. As pautas foram afixadas ontem e ele não foi colocado.

    — *Quem me dera que* **tivesse entrado**! Imagino como ele se deve estar a sentir. Coitado!

    Há uns anos atrás tive a hipótese de ir trabalhar para uma multinacional. Na altura recusei e agora estou arrependida.

    — *Quem me dera que* **tivesse aceitado**!

Unidade 18   Exercícios

18.1. Complete com os verbos no **pretérito mais-que-perfeito composto do conjuntivo**, seguindo o exemplo.

1. Com chuva, o comício tinha sido um fracasso.
   Se tivesse chovido, o comício tinha sido um fracasso   .
2. Sem a ajuda do polícia, não tinha encontrado a rua.
   _____.
3. Com calma, tinhas resolvido o problema.
   _____.
4. Com trânsito, nunca mais tínhamos chegado.
   _____.
5. De táxi, tinham demorado menos.
   _____.
6. Com natas, o prato tinha ficado mais saboroso.
   _____.
7. Com mais tempo, teríamos conhecido melhor a cidade.
   _____.
8. Com outras condições, tinha aceite o trabalho.
   _____.
9. Sem o domínio de línguas, não tinha conseguido o emprego.
   _____.
10. Sem tradução, não teria compreendido nada.
    _____.

18.2. Complete as frases como no exemplo.

1. Fiquei doente e faltei à inauguração.
   Quem me dera que *não tivesse ficado doente*   .

2. Pintei o cabelo e agora não gosto de me ver.
   Oxalá _____.

3. Não fui ao dentista e agora estou com dores de dentes.
   Tomara que _____.

4. Não vimos o filme e afinal dizem que era óptimo.
   Oxalá _____.

5. Comi muito e agora estou indisposto.
   Quem me dera que_____.

6. Adormeci e perdi o final.
   Oxalá_____.

7. Não comprei os bilhetes na semana passada e agora estão esgotados.
   Quem me dera que_____.

8. Na altura não tive oportunidade de falar com eles.
   Tomara que_____.

Unidade 19 Presente vs. imperfeito do conjuntivo em **frases exclamativas de desejo**

- *Oxalá, tomara que, Deus queira que, quem me dera que* introduzem frases exclamativas de desejo, isto é: o desejo por parte do emissor de que a acção ou o facto que enuncia se venha a concretizar. O verbo utilizado está sempre no conjuntivo.

Exclamativas de desejo	
Oxalá... Tomara que... Deus queira que... Quem me dera que...	**Presente do conjuntivo** ou **Imperfeito do conjuntivo**

- Estas frases exclamativas com o verbo no **presente** ou no **imperfeito do conjuntivo** referem-se apenas a **acções** ou **factos presentes** ou **futuros**.

- Se o verbo estiver no presente do conjuntivo, o grau de probabilidade de que a acção ou facto ocorra é muito maior do que se o verbo estiver no imperfeito do conjuntivo. Neste último caso, o emissor traduz dúvida ou incerteza relativamente à concretização do enunciado.

Situações:

1. A Sara acabou de sair. Tem de estar no aeroporto dentro de 30 minutos senão perde o avião.

    João: *Oxalá* **chegue** a tempo! A esta hora há pouco trânsito.

    Miguel: Oxalá **chegasse** a tempo! Mas acho que vai ser difícil pôr-se lá em meia hora.

2. A Aninhas tem estado muito constipada e com dores de garganta. Durante a noite a febre subiu até aos 40°C.

    Médico: Seguindo à risca a medicação, a febre deverá baixar e dentro de 3 dias telefone-me.

    Mãe: *Tomara que* **fique** boa rapidamente. Esse antibiótico já foi eficaz noutras ocasiões.

    Pai: *Tomara que* **ficasse** boa rapidamente. Mas da última vez tivemos de levá-la ao hospital.

Unidade 19   Exercícios

19.1. Complete as situações, pondo os verbos no **presente** ou no **imperfeito do conjuntivo**.

☺ A João é optimista por natureza.
Para ela tudo tem solução, tudo se resolve.

1. Oxalá o tempo_____bom!
Em Abril já há muitos dias de sol.

3. Tomara que o Quim_____ no
exame! Ele perdeu noites inteiras a estudar.

5. Deus queira que ainda_____
bilhetes para o concerto! Vou tentar naquela
agência

7. Vou pintar o cabelo de louro. Oxalá me
_____bem! Acho que estou a
precisar de mudar o visual.

9. Comprei-lhe um colete para os anos. Deus
queira que ele_____!

☹ O Miguel é muito pessimista. Para ele tudo
são dificuldades.

2. Oxalá o tempo_____bom!
Mas, como diz o ditado "Em Abril águas mil".

4. Tomara que o Quim_____no
exame! Mas as noitadas com os amigos...

6. Deus queira que ainda_____
bilhetes para o concerto! Já ouvi dizer que
está esgotado há semanas, por isso não
tenho muitas esperanças.

8. Ela vai pintar o cabelo de louro. Oxalá lhe
_____bem! Mas acho que não me
vou habituar ao novo visual.

10. Já sei que ela me comprou um colete. Mas é
coisa que nunca uso. Deus queira que
eu_____!

19.2. Leia as situações e depois faça uma frase exclamativa usando os verbos no **presente** ou
imperfeito do conjuntivo.

1. O João e o Miguel queriam ir acampar no próximo fim-de-semana, apesar do tempo estar um pouco
instável — ora chove, ora faz sol.

João:_____! Já tenho saudades de um
fim-de-semana com sol.

Miguel:_____! Aos fins-de-semana parece
que o tempo ainda fica pior.

2. Acho que o meu namorado não vai estar de serviço amanhã à noite.
_____ ir comigo à festa!

3. O treinador pensa que os atletas se vão qualificar para os Jogos Olímpicos.
_____ (conseguir)! Eles têm-se esforçado tanto.

4. Os empregados pretendem falar com o patrão para reverem os ordenados.
_____, mas duvido que tenham coragem.

5. Chamaram-me para uma entrevista numa multinacional. Mas estou tão nervosa que não sei o que
vai acontecer. _____(ser aceite)!

Unidade 20 Perfeito vs. mais-que-perfeito do conjuntivo em frases exclamativas de desejo

Exclamativas de desejo		
Oxalá Tomara que	**Pretérito perfeito do conjuntivo**	maior probabilidade de concretização
Deus queira que Quem me dera que	**Pretérito mais-que-perfeito do conjuntivo**	menor probabilidade de concretização

• Com o verbo no **pretérito perfeito** ou no **pretérito mais-que-perfeito do conjuntivo**, as frases exclamativas referem-se sempre a **acções** ou **factos passados**.

• Se o verbo estiver no pretérito perfeito do conjuntivo, o grau de probabilidade de que a acção ou o facto tenha ocorrido é maior do que se o verbo estiver no pretérito mais-que perfeito do conjuntivo. Neste último caso, o emissor expressa dúvida ou incerteza relativamente à concretização do enunciado.

N.B.: A expressão "Deus queira que" utiliza-se mais frequentemente com o verbo no pretérito perfeito do conjuntivo, ou seja, em situações em que existe maior probabilidade de concretização do enunciado.

Compare:

A esta hora já a reunião começou. A Sara saiu daqui muito tarde.

— *Oxalá* ela **tenha chegado** a tempo! — diz o João — A esta hora há pouco trânsito. Talvez tenha conseguido.

— *Tomara* que ela **tivesse chegado** a tempo! — diz o Miguel — Mas como é tão difícil estacionar naquela zona, deve ter perdido uns 15 minutos só para arranjar lugar para o carro.

O António esqueceu-se da carteira em cima da mesa do café e voltou lá a correr. Pelo caminho, ia pensando:

— *Deus queira que* o empregado a **tenha visto**! Acho que ele estava ao pé da mesa. Talvez tenha sorte.

— *Quem me dera que* o empregado a **tivesse visto**! Mas estava lá tanta gente que só por um milagre é que a vou reaver.

Unidade 20   Exercícios

20.1. Complete as situações, pondo os verbos no **pretérito perfeito** ou no **pretérito mais-que-perfeito do conjuntivo.**

1. | A estas horas já a minha irmã fez o exame de condução. |

  — Oxalá lhe _____ (correr) bem. Nestes últimos dias deixei-a conduzir o meu carro, sempre comigo ao lado para a orientar.

  — Tomara que (ela) _____ (aprovar). Ela estava nervosíssima e nessas situações as pessoas fazem sempre asneiras.

2. | Ontem houve uma reunião da administração e já decidiram quais os empregados que ficam e quais os que irão ser dispensados. |

  — Quem me dera que (eles) _____ (optar) pelos meus serviços, mas não creio, pois já não sou nenhum jovem.

  — Tomara que (eles) _____ (tomar) a decisão de não te dispensar. Já não és jovem, mas tens demonstrado muito profissionalismo e inovação.

3. | O bebé nasceu hoje de manhã, mas ainda não pudemos visitar a mãe. |

  — Oxalá não _____ (haver) complicações durante o parto, mas já estou a estranhar esta demora tão prolongada.

  — Tomara que a mãe não _____ (ter) problemas. Acho que não, senão o médico teria falado connosco.

4. | Ainda não sabemos o resultado das eleições. |

  — Quem me dera que _____ (ganhar) a lista C. É a lista que apresenta candidatos mais capazes e conhecedores dos problemas da Faculdade.

  — Oxalá _____ (vencer) a lista A. Na minha opinião, esta lista tem os melhores candidatos, incluindo dois doutorados.

5. | Acabei de receber uma má notícia. Os meus tios tiveram um acidente de viação, mas ainda não me sabem dar pormenores. Não sabemos se estão vivos ou mortos. |

  — Tomara que (eles) não _____ (morrer), mas, para não adiantarem mais nada, é porque a situação está muito complicada.

  — Quem me dera que (eles) _____ (salvar-se), mas tenho de concordar contigo: estou muito pessimista.

20.2. Analise as situações e em seguida faça uma frase exclamativa usando os verbos que achar adequados no **pretérito perfeito** ou no **pretérito mais-que-perfeito do conjuntivo.**

1. Fui chamado para uma entrevista, mas ainda não sei o resultado. Acho que me correu muito bem. É mesmo o tipo de trabalho que eu gosto.

  _____!

2. O António foi a uma consulta médica e ficou muito desanimado com o que o médico lhe disse.

  _____!

3. O António é muito persistente e resolveu consultar outro médico da mesma especialidade. Desta vez ficou um pouco mais animado.

  _____!

4. Afinal a Ana resolveu ir à festa de finalistas da Universidade. Não sei se fez bem. Ela estava muito em baixo depois da operação a que foi submetida.

  _____!

Unidade 21 Pretérito mais-que-perfeito simples e **composto do indicativo**

A. Pretérito mais-que-perfeito simples do indicativo (P.M.Q.P.S.)

- Forma-se a partir da 3ª pessoa do plural do pretérito perfeito simples (P.P.S.), a que se retira **-am** e se acrescentam as **desinências do P.M.Q.P.S.**

P.M.Q.P.S.

	P.P.S.	P.M.Q.P.S.
	3ª pessoa do plural	1ª pessoa do singular
estar	estiver**am**	estiver**a**
fazer	fizer**am**	fizer**a**
ir/ser	for**am**	for**a**
querer	quiser**am**	quiser**a**
trazer	trouxer**am**	trouxer**a**

eu	estiver	**a**
tu	estiver	**as**
você ele ela	estiver	**a**
nós	estivér	**amos**
vocês eles elas	estiver	**am**

- Este tempo verbal é mais frequente num nível de linguagem literária e mais cuidada e menos usual na linguagem corrente, na qual se opta, normalmente, pela forma composta do pretérito mais-que-perfeito (**tinha feito**).

- Usa-se o **P.M.Q.P.S.** para falar de:

  - acções passadas que ocorreram antes de outras já passadas.

    A conversa **tornara-se** tão monótona que eu me desinteressei.

    Quando voltámos para casa já o sol se **pusera.**

  - factos vagamente situados no passado.

    Casara, **tivera** filhos, mas nada disso lhe **alterara** a maneira de ser forte e autoritária.

B. Pretérito mais-que-perfeito composto do indicativo *.

- Forma-se com o verbo auxiliar **ter** no **imperfeito** do indicativo seguido do **particípio passado** do verbo principal.

- Usa-se para falar de acções passadas anteriores a outras também passadas, isto é, normalmente este tempo verbal (1ª acção no passado) contrasta com o pretérito simples do indicativo -P.P.S.- (2ª acção no passado).

Apanhei muito trânsito e quando | cheguei | à escola, a aula já | **tinha começado.** |

  2ª acção   1ª acção

* Gramática Activa 1 - Unidade 20

Unidade 21   Exercícios

21.1. Substitua as formas sublinhadas pelo **pretérito mais-que-perfeito simples do indicativo**.

1. Nunca me <u>tinha sentido</u> tão mal ao assistir a uma operação daquelas.

_____.

2. Já prontos para partir, a dona da casa <u>tinha feito</u> questão que eles lá pernoitassem.

_____.

3. Alguém <u>tinha dado</u> as informações à polícia.

_____.

4. A revista <u>tinha tido</u> o seu primeiro número no século passado, mais precisamente, <u>tinha sido</u> publicada em 1837.

_____.

5. Quando completou a universidade em 1943, <u>tinha</u> já <u>escrito</u> cinco romances.

_____.

21.2. Complete estes artigos jornalísticos com o verbo no **pretérito mais-que-perfeito simples do indicativo**.

1. O Presidente do maior partido da oposição convocou um congresso extraordinário, já que, no seu entender _____ (ler) bem os sinais do eleitorado e _____ (perceber) que se _____ (chegar) ao fim de um ciclo de vida política nacional. Já anteriormente _____ (dizer) ser essa a sua vontade.

2. Em entrevista ao nosso jornal, o director declarou que não previa qualquer conflito com a nova administração, uma vez que esta já lhe _____ (dar) todo o apoio e lhe _____ (garantir) que os planos que _____ (propor) no início do ano seriam cumpridos.

3. No seu discurso, o advogado reafirmou que o réu _____ (ser) vítima de uma emboscada. Tentou provar que _____ (haver) negligência por parte das autoridades, alegando que o réu _____ (ter) o cuidado de informar a polícia do que se estava a passar e esta pouco _____ (fazer) para o proteger.

Unidade 22   Futuro perfeito do indicativo

- Forma-se com o verbo auxiliar **ter** no **futuro imperfeito** do **indicativo** seguido do **particípio passado** do verbo principal.

Futuro perfeito do indicativo

eu	terei	estado
tu	terás	falado
você		ido
ele	terá	trazido
ela		visto
nós	teremos	
vocês		
eles	terão	
elas		

- Usa-se o **futuro perfeito do indicativo** para:

  - acções futuras anteriores a outras também futuras.

    Quando *chegar* a casa, o filme já **terá acabado**.

    Daqui a um ano já nos **teremos mudado** para a casa nova.

    Até amanhã já **terei lido** o livro.

  - Exprimir incerteza sobre factos passados.

    São duas horas da tarde e ainda estão a dormir.
    A que horas se **terão deitado**?

    O João ficou de comprar os bilhetes para a sessão das 21:30. **Terá conseguido** comprá-los?

    Está muita gente ali ao fundo. **Terá havido** um acidente?

  - Exprimir suposição sobre factos passados. O **futuro perfeito do indicativo**, neste contexto, é comum em reportagens da comunicação social.

    Supõe-se que os contrabandistas já **terão deixado** o país.

    O larápio **terá assaltado** uma senhora idosa e posteriormente **terá fugido** numa carrinha branca que se pensa que **terá sido roubada**.

Unidade 22   Exercícios

22.1. Complete os artigos de jornal com os verbos **no futuro perfeito do indicativo**.

1.   **"O morto, de facto, falou."**

Um homem, dado como morto pelos familiares e por uma seita religiosa, _____
(ressuscitar) a caminho da morgue da capital moçambicana. O indivíduo, de 25 anos, _____
_____ (morrer) por intoxicação alcoólica. Isto porque, à noite, _____ (beber)
oito garrafas de uma fortíssima aguardente caseira. Nessa noite, Chande, _____
(sentir) fortes dores de barriga, pelo que a família _____ (chamar) a casa membros
de uma seita religiosa que, depois de umas orações, _____ (garantir) que ia
melhorar. Na manhã seguinte, os vizinhos _____ (ouvir) a família a chorar porque o rapaz
tinha morrido. O motorista, que posteriormente o _____ (transportar) para a morgue,
_____ (ficar) espantadíssimo quando ouviu o morto a falar.

2.   **"Atirador detido"**

A PSP deteve um indivíduo que, alegadamente, _____ (ferir) um outro a
tiro de caçadeira. Segundo testemunhas, o caso _____ (ocorrer) na noite
de quarta-feira numa artéria da capital, onde um indivíduo identificado por Sanches,
_____ (disparar) contra um rapaz de 20 anos.

22.2. Use o **futuro perfeito do indicativo** em frases interrogativas.

1. Desde sábado que estou a tentar telefonar aos meus tios e ninguém atende.
   Terão ido viajar _____?(eles/ir viajar)
2. O espelho da casa de banho está partido.
   _____?(quem/partir)
3. Tenho uma mensagem em cima da secretária, mas não está assinada.
   _____?(quem/escrever)
4. As crianças já estão a brincar no jardim.
   _____?(elas/fazer os trabalhos de casa)
5. A Joana não veio às aulas.
   _____?(ela/ficar doente)
6. Não encontro os documentos em lado nenhum.
   _____?(onde/pôr)
7. Comprámos-lhe um CD de música clássica.
   _____?(ela/gostar)

22.3. Complete as frases com os verbos no **futuro perfeito do indicativo**.

1. Até ao fim do mês (nós) já _____ (acabar) as obras na cozinha.
2. Quando ele voltar, o bebé já _____ (nascer).
3. A empregada já _____ (fazer) o jantar, quando nós chegarmos a casa.
4. Daqui a um ano (eu) _____ (terminar) o curso na faculdade.
5. Às nove da noite o avião já _____ (aterrar) em Lisboa.
6. Quando forem dez horas, as crianças _____ (ir) para a cama.

Unidade 23   Condicional pretérito

- Forma-se o **condicional pretérito** com o verbo auxiliar **ter** no **condicional presente** e o **particípio passado do verbo principal**.

Condicional pretérito

eu	teria	comprado
tu	terias	dito
você	teria	feito
ele		visto
ela		
nós	teríamos	
vocês	teriam	
eles		
elas		

A. Usa-se o condicional pretérito para falar de acções que não se realizaram no passado, porque a condição de que dependiam não se verificou.

Situações:

Passei o fim-de-semana a trabalhar. Por isso não fui com vocês.
Se não *tivesse passado* o fim-de-semana a trabalhar, **teria ido** com vocês.

Já não encontraram a Ana em casa, porque chegaram tardíssimo.
Teriam encontrado a Ana em casa, *se tivessem chegado* mais cedo.

Afinal não fui ao cinema, porque não tinha companhia.
Se tivesse companhia, **teria ido** ao cinema.

N.B.: Neste contexto, o condicional pretérito é equivalente ao pretérito mais-que-perfeito composto do indicativo.

B. Usa-se o condicional pretérito para exprimir:
. dúvida / incerteza relativamente a factos passados.

O motorista **teria adormecido**, segundo o testemunho de um dos sobreviventes. Posteriormente a camioneta **teria embatido** nas divisórias da auto-estrada e, consequentemente, **teria capotado**.

N.B.: Neste contexto, o condicional pretérito é uma estrutura típica da linguagem jornalística, ao relatar notícias das quais não se tem a certeza da veracidade dos factos.
. desconhecimento sobre factos passados (frases interrogativas).

Ninguém sabe ao certo as causas do acidente.
O que é que **teria originado** o acidente?

Unidade 23   Exercícios

23.1. Complete com os verbos dados **no condicional pretérito**.

> ameaçar / encostar / ficar / furtar / sair / utilizar.

Um espanhol e um português foram detidos pela Polícia Judiciária por alegadamente, terem assaltado um posto de gasolina nos arredores de Lisboa.
Os indivíduos _____ uma viatura, que se pensa que _____, e, enquanto um deles _____ na carrinha, o outro, munido duma navalha, _____ a correr em direcção à única funcionária de serviço. De seguida, o homem _____ a empregada, obrigando-a a entregar todo o dinheiro que tinha em caixa.
De acordo com uma testemunha, o assaltante _____ a navalha ao ventre da rapariga, arrastando-a para as traseiras do estabelecimento e ameaçando-a de morte caso reagisse.

23.2. Faça frases interrogativas como no exemplo.

1. Não sei se a operação correu bem.
   A operação teria corrido bem _____?
2. Não sei qual foi o resultado das eleições.
   _____?
3. Ainda não sei quem ganhou o concurso.
   _____?
4. Não faço ideia porque é que ele ficou zangado comigo.
   _____?
5. Não tenho a certeza se eles já chegaram.
   _____?
6. Ainda não sabemos as causas do acidente.
   _____?
7. Não sei porque é que o João se despediu.
   _____?
8. Ninguém sabe ao certo o que é que aconteceu ontem à noite.
   _____?
9. Não sei quem foi a pessoa reponsável por essa decisão.
   _____?
10. Não faço ideia como é que os ladrões entraram.
    _____?
11. Ainda não sabemos se a resposta foi positiva.
    _____?

23.3. Complete as frases com os verbos no **condicional pretérito**.

1. Se não tivesse deixado a porta aberta,
   _____.
2. Mesmo que não tivesse chovido,
   _____.
3. Se alguém se tivesse lembrado mais cedo,
   _____.
4. Caso tivessem chegado a horas,
   _____.
5. Se tivesses feito um seguro contra roubo,
   _____.

Unidade 24 Conjugação pronominal com o futuro do indicativo e condicional

- Usa-se a **interposição do pronome pessoal** (reflexo, complemento directo ou indirecto) na forma verbal sempre que o verbo estiver no **futuro do indicativo** ou no **condicional**.

- Destacam-se as **terminações** do **futuro** ou do **condicional**, sendo o **pronome pessoal colocado no meio entre hífens**. No caso da 3ª pessoa do pronome pessoal complemento directo (o, a, os, as) serão feitas as alterações necessárias, devido ao facto de a forma verbal que o precede terminar em **-r** (ver Gramática Activa 1, Unidade 36).

N.B.: Determinados advérbios, conjunções, pronomes, etc, pedem o pronome pessoal <u>antes</u> do verbo. (ver Gramática Activa 1, Unidade 14). Nesses casos não há interposição do pronome.
Ex: Ele dir-te-á a verdade vs. Ele nunca te dirá a verdade.

	Futuro imperfeito do indicativo		Condicional presente	
eu	dar	**ei**	dar	**ia**
tu	escrever	**ás**	escrever	**ias**
você ele ela	fa	**rá**	far	**ia**
nós	ler	**emos**	ler	**íamos**
vocês eles elas	trar	**ão**	trar	**iam**

Conjugação pronominal

dar-**te**-ei	dar-**lhes**-ia
escrever-**me**-ás	escrevê-**la**-ás
fá-**lo**-á	far-**me**-á
lê-**la**-emos	lê-**lo**-emos
trar-**lhe**-ão	trar-**te**-iam

Exemplos:

— Ainda não tive tempo para fazer o trabalho. **Fá-lo-ei** no fim-de-semana.

— A esta hora já o Miguel acabou o exame. **Ter-lhe-á** corrido bem?

— Se estivesses no meu lugar, **dir-me-ias** a verdade?

— **Telefonar-lhe-emos** assim que chegarmos ao hotel.

— **Pagar-te-ia** o jantar, se tivesse dinheiro.

— Assim que te vir, **lembrar-se-á** de ti, tenho a certeza.

Unidade 24   Exercícios

24.1.   Substitua as formas assinaladas pelo futuro ou condicional e faça as alterações necessárias.

1. **Vamos falar-lhe** no assunto, assim que o virmos.

2. Experimenta trabalhar com ela. **Vão dar-se** bem com certeza.
   _____.

3. **Vou visitá-lo** amanhã. Hoje estou muito ocupado.
   _____.

4. Eles **vão trazer-te** tudo o que lhes pediste.
   _____.

5. **Sentia-me** melhor se pudesse falar com o médico.
   _____.

6. Se estivessem cá no Verão, **convidava-os** para passarem 15 dias connosco.
   _____.

7. **Interessava-lhe** ver mais catálogos sobre a exposição?
   _____.

8. Os electrodomésticos **vão ser-lhe** entregues na próxima segunda-feira.
   _____.

9. O Dr. Silva **vai recebê-la** dentro de 10 minutos.
   _____.

10. **Vamos encontrar-nos** novamente no próximo congresso.
    _____.

24.2. Ponha as frases na afirmativa e faça as alterações necessárias.

1. Não o ajudaremos outra vez.

2. Não se demitirá do cargo até ao fim do mês.
   _____.

3. Não te pedirei desculpa.
   _____.

4. Não se fará como ele disse
   _____.

5. Não a cumprimentaria em qualquer dos casos.
   _____.

6. Não vos teria mentido, se tivesse adivinhado a vossa reacção.
   _____.

7. Não lhes teria escrito, se soubesse que eles vinham.
   _____.

8. Não se teriam perdido, se lhes tivesses dado as mesmas indicações que deste a mim.
   _____.

9. Não me teria casado tão cedo, se soubesse o que sei hoje.
   _____.

10. Não a reconheceria, se a visse outra vez.
    _____.

11. Não nos veremos mais nenhuma vez.
    _____.

12. Não me oporia, fosse qual fosse a situação.
    _____.

13. Não o contactarão hoje, com certeza.
    _____.

14. Não te sentirias melhor, se fosses ao médico?
    _____?

15. Não se darão mal, se trabalharem juntas?
    _____?

Unidade 25 Discurso directo e indirecto

- O uso do discurso directo e do discurso indirecto tem as seguintes características:

	Discurso directo	Discurso indirecto
Pontuação	: – " " ? ! .	. (ponto final)
Verbos introdutórios	contar, dizer, pedir, perguntar,querer, saber, responder, ...	contar, dizer, pedir, perguntar, querer, saber responder..., seguidos de **que**, **se** ou **para**
Tempos verbais e Modos	• presente do indicativo • pretérito perfeito simples do indicativo • futuro imperfeito do indicativo • presente do conjuntivo • imperfeito do conjuntivo • futuro do conjuntivo • imperativo	• imperfeito do indicativo • pretérito mais-que-perfeito composto do indicativo • condicional presente • imperfeito do conjuntivo • imperfeito do conjuntivo • imperfeito do conjuntivo • imperfeito do conjuntivo ou infinitivo
Pessoais e possessivos	1ª e 2ª pessoa	3ª pessoa
Demonstrativos	este, esse isto, isso	aquele aquilo
Expressões de lugar	aqui, cá, neste lugar	ali, lá, naquele lugar
Expressõess de tempo	ontem hoje amanhã agora na próxima semana	no dia anterior nesse dia / naquele dia no dia seguinte naquele momento na semana seguinte

Exemplos:
— Pese-me um quilo de laranjas - pediu a Vera
   A vendedora pesou as laranjas e perguntou:
— Além disto, que mais deseja?

A Vera *pediu* à vendedora | *que* lhe **pesasse** um quilo de laranjas.
                            | *para* lhe **pesar** um quilo de laranjas.

A vendedora pesou as laranjas e *perguntou* à Vera *se* **desejava** mais alguma coisa.

Miguel: E que tal se fizéssemos um jantar em minha casa?
Zé: Se concordarem, eu levo o vinho. Ofereceram-me várias garrafas no mês passado.
Joana: Eu vou fazer um bolo que é uma especialidade.

O Miguel *sugeriu que* **fizessem** um jantar em casa **dele**. O Zé *disse que* se **concordassem**, **ele levava** o vinho. **Tinham-lhe oferecido** várias garrafas no mês **anterior**. A Joana *disse que* **ia fazer** um bolo que **era** uma especialidade.

Unidade 25 Exercícios

25.1. Passe o seguinte texto para o **discurso indirecto** e faça as alterações necessárias. Use os verbos introdutórios *dizer que, referir que, mencionar que*.

| Locutor: | Após quatro anos de seca, chegaram finalmente as chuvas do século. A água subiu nos rios, encharcou o Alentejo e até dava para encher o Alqueva. Dos prejuízos da seca, passou-se para o das cheias, num Inverno em que tem chovido diariamente e as previsões apontam para que continue a chover nos próximos meses. |

O locutor _____

_____

_____

_____

_____

_____

_____

_____

25.2. Agora faça a operação inversa, isto é, passe o seguinte conto popular para o **discurso directo** e faça as alterações necessárias. Atenção à pontuação!

O barbeiro disse ao padre que tinha um segredo, mas que não podia revelá-lo a ninguém; e acrescentou que, se o não dissesse, morreria, e, se o dissesse, o rei mandá-lo-ia matar. Respondeu-lhe o padre que fosse a um vale, e que fizesse uma cova na terra e dissesse o segredo tantas vezes até ficar aliviado desse peso; e que depois tapasse a cova com terra. O barbeiro assim fez; e, depois de ter tapado a cova, voltou para casa muito descansado.

_____

_____

_____

_____

_____

_____

_____

_____

25.3. Ponha as seguintes frases no **discurso indirecto** e faça as alterações necessárias.

1. A Paula voltou-se para o Luís e disse:
   — Fui chamada para uma entrevista numa multinacional. Ficou marcada para quarta-feira da semana que vem.

_____

_____

2. Luís: Óptimas notícias! Parabéns! Espero que corra tudo bem e sejas admitida.

_____

_____

3. Paula: Se conseguir o emprego, poderei realizar algumas das coisas com que sempre sonhei. Bom, o melhor é não me entusiasmar antes de tempo.

_____

_____

Unidade 26 Indicativo ou conjuntivo

- Usamos o **modo indicativo** em frases interrogativas introduzidas por:

A	Pronomes interrogativos
	que / a que / de que
	quem / a quem / de quem com quem / para quem
	qual / quais
	quanto (s) /quanta (s)

B	Advérbios interrogativos	
	de causa	porque
	de lugar	onde/por onde/para onde/aonde
	de modo	como
	de tempo	quando

Exemplos:

> Que horas são?
> Para quem são essas flores?
> Qual é o teu livro? Este ou aquele?
> Quantos anos tens?
> Porque é que se atrasaram?
> Por onde vieram?
> Como é que vão para casa?
> Quando é que eles chegam?

- Continuamos a usar o **modo indicativo** em interrogativas indirectas introduzidas por:

  - pronomes interrogativos - **A**
  - advérbios interrogativos - **B**
  - conjunção subordinativa *se* (usa-se quando há ausência de pronome ou advérbio na interrogativa directa)

Exemplos:

> Ele quer saber *que* horas **são**.
> Gostaria de saber *para quem* **são** essas flores.
> Perguntei-te *qual* **era** o teu livro.
> Não sei *quantos* anos **tens**.
> Ela quis saber *porque* é que se **atrasaram**.
> Não sabemos *por onde* é que eles **vieram**.
> Perguntaram-nos *como* é que **íamos** para casa.
> Não sei *quando* é que eles **chegam**.
> Ela perguntou-me *se* eu **queria** ir com eles.

Compare:

Indicativo	Conjuntivo
Ela não sabe se **pode** ir convosco.	Se **puder**, telefona-vos.
Não faço ideia onde **está** o meu dicionário.	**Esteja** onde **estiver**, tenho de encontrá-lo.
Não sei quando é que a Eva **chega**.	Quando a Eva **chegar**, conto-lhe as novidades.
Gostava de saber como é que se **faz** esse bolo.	**Faças** como **fizeres**, fica sempre bom.
Ainda não me disseste quem é que **vem** à festa.	Quem **vier** à festa, tem de trazer o convite.

Unidade 26   Exercícios

26.1. Complete com os verbos no **indicativo** ou **conjuntivo**.

1. | querer |

   Se tu _____, posso levar-te a casa.
   Não sei se _____ que eu te leve a casa.

2. | fazer |

   Vou dar uma festa, quando _____ anos.
   Não sei ao certo quando é que ele _____ anos.

3. | chegar |

   Gostaria de saber a que horas é que eles _____.
   _____ a que horas _____, vou esperá-los ao aeroporto.

4. | vir |

   Precisava de saber se o João e a Ana também _____.
   Se eles _____, temos de reservar mais uma mesa.

5. | ver |

   Não sei se eles já _____ esse filme.
   Se não _____, tenho aqui 2 bilhetes a mais.

6. | conseguir |

   Não tenho a certeza se _____ acabar o trabalho dentro do prazo.
   Seria óptimo, se _____ acabar o trabalho dentro do prazo.

7. | trazer |

   A Guidinha perguntou-me se eu lhe _____ alguma prenda.
   Se eu lhe _____ alguma prenda, tinha-lha dado logo.

8. | ter |

   Gostava de saber quando é que tu _____ tempo para fazer a tão esperada reunião.
   Quando _____ tempo, avisa-me.

9. | ir |

   Perguntou-me como é que eu _____ para o emprego.
   _____ como _____, demoro em média 1 hora.

10. | estar |

    Preciso que me diga onde _____ afixados os horários.
    Onde _____ afixadas as notas, vê logo os horários na vitrina ao lado.

26.2. Escolha o verbo adequado e complete as frases com as formas correctas do **indicativo** ou **conjuntivo**.

| dizer, encontrar, ir, partir, pôr, querer, ser, ter, ver, vir |

1. Contem-me lá como é que _____ as vossas férias.
2. Não sei onde _____ a minha carteira.
3. Ele vai para onde ela _____.
4. Quem _____ depois da hora, não poderá entrar.
5. _____ o que _____, não há razão para esse teu comportamento.
6. Gostaria de saber a que horas _____ o próximo comboio.
7. Faz como _____. É-me indiferente.
8. Queria saber se ainda _____ bilhetes para a sessão das 21h30.
9. Se o _____ ontem, já lhe tinha dado a novidade.
10. Quando _____ o filme, compreendes porque é que foi tão aplaudido pelos críticos.

Unidade 27 Gerúndio simples vs. gerúndio composto

- Existem duas formas de **gerúndio**: o **gerúndio simples*** e o **gerúndio composto**.

- O gerúndio pode designar:

  - causa
    Sabendo que vinhas, fiquei em casa.
    =
    como sabia que vinhas, fiquei em casa.

  - tempo
    Saindo de casa, encontrei a Rita.
    =
    Ao sair de casa, encontrei a Rita.
    Quando saí de casa, encontrei a Rita.

    Obs: Quando o gerúndio exprime tempo, pode ser regido pela preposição *em*.

    Em **saindo** de casa, encontrei a Rita.

  - condição
    Tendo febre, toma estes comprimidos.
    =
    Se tiveres febre, toma estes comprimidos.

  - modo
    Entretinha-me **ouvindo** música.
    =
    Entretinha-me com música.

O gerúndio pode ainda substituir uma oração coordenada começada pela conjunção *e*.

Os chapéus voavam com o vento *e* davam reviravoltas no ar.
Os chapéus voavam com o vento, *dando* reviravoltas no ar.

Gerúndio composto

- Forma-se com o verbo auxiliar **ter** no **gerúndio** seguido do **particípio passado do verbo principal**.

Gerúndio	
Simples	Composto
Aspecto não concluído (acção a decorrer)	Aspecto concluído (acção terminada)

* Gramática activa 1 - Unidade 48

Compare:

Atirando com a porta, saiu sem dizer mais nada.
Tendo dito tudo o que tinha a dizer, foi-se embora sem mais demora.
Estando com dores de cabeça, a Ana foi-se deitar.
Tendo estado toda a manhã com dores de cabeça, não pude ir ter contigo como tinha combinado.

Unidade 27   Exercícios

27.1.   Transforme as seguintes frases e faça as alterações necessárias.

1. O Sr. Mateus perdeu o controlo da carrinha e foi embater no muro.

   Tendo perdido o controlo da carrinha, o Sr. Mateus foi embater no muro.

2. Como embateu no muro, a carrinha ficou muito danificada

   _____

3. O Sr. Mateus foi levado para o hospital e lá diagnosticaram-lhe traumatismo craniano.

   _____

4. Ficou sob observação e teve alta passado uma semana.

   _____

5. Como não se sentia totalmente recuperado, resolveu tirar uns dias de férias.

   _____

6. Depois do susto que apanhou, decidiu que o melhor era não ir a conduzir.

   _____

7. E pensou: "Se for de comboio para a terra, é muito mais seguro"

   _____

   _____

27.2.   Faça frases, iniciando-as com o **gerúndio simples** ou **composto**.

1. Quando for a Braga, vou visitar-vos.

   _____

2. Como já acabou os exames, o João partiu ontem para o Algarve.

   _____

3. Se apanhares um táxi, pode ser que não chegues atrasado.

   _____

4. Se tivessem esclarecido a situação, não teria havido tantos problemas.

   _____

5. Como já vi essa peça de teatro, não me importo de ficar a tomar conta das crianças.

   _____

6. Quando acabar o estágio, vou concorrer para fora de Lisboa.

   _____

7. Se tivesse pensado melhor, não teria aceitado o trabalho.

   _____

8. Se vierem pela estrada nova, tenham cuidado com as obras.

   _____

9. Como não lhes dei autorização, ficaram muito sentidos comigo.

   _____

10. Caso tragam as crianças, avisem-me para eu preparar os quartos.

   _____

27.3.   Complete as seguintes frases, usando a forma **simples** ou **composta do gerúndio**.

1. _____, é melhor consultar o médico.
2. _____, tiveram de regressar mais cedo.
3. _____, terá direito a um desconto.
4. _____, reparei que me tinha esquecido da carteira.
5. _____, terias tido melhores notas.
6. _____, prefiro ficar em casa.

Unidade 28 Infinitivo impessoal e pessoal simples e composto

- O infinitivo é a única forma nominal que pode apresentar flexão de pessoa e número: **infinitivo pessoal**.

- Na generalidade, o **infinitivo pessoal** * usa-se:

  - quando há necessidade de indicar o **sujeito**

    Antes de saires de casa, fecha o gás.

- quando pode haver dúvidas acerca da identificação do sujeito.

    Acho melhor não saíres agora.

- O **infinitivo impessoal** emprega-se normalmente quando:

  - não nos referimos a nenhum sujeito

    É proibido fumar.

  - o sentido da frase já indica qual é o sujeito.

    Trabalhamos para **subir** na vida.

- O infinitivo pessoal apresenta uma **forma simples** e outra **composta**.

- O **infinitivo pessoal composto** forma-se com o verbo auxiliar **ter** no *infinitivo pessoal simples* e o **particípio passado do verbo principal**.

Infinitivo pessoal	
Simples	**Composto**
Aspecto não concluído	Aspecto concluído (indica uma acção terminada em relação a outra)

Compare:

> Comprei este livro para **leres** na viagem.
> Depois de **teres lido** o livro, empresta-mo.
> No caso de **optarem** por esta marca, não se vão arrepender.
> No caso de já **terem optado** por outra marca, nós fazemos a troca.
> Apesar de não me **sentir** muito bem, vou com vocês.
> Apesar de não me **ter sentido** bem durante a noite, fui trabalhar.

* Gramática activa 1, unidade 30.

Unidade 28 Exercícios

28.1. Complete com os verbos no **infinitivo pessoal composto**.

1. Depois de _____ (acabar) de comer, levantem a mesa.
2. Apesar de _____ (passar) no exame, não entrei na universidade.
3. Viajaram 10 horas seguidas sem nunca _____ (ter) nenhum contratempo.
4. Mantivemos segredo até _____ (conseguir) resolver a situação.
5. No caso de já _____ (encontrar) a solução, vem falar comigo.
6. Vinte anos depois de _____ (casar-se), decidiram fazer vidas separadas.
7. Sem _____ (ver) o filme, não podes estar a dizer mal.
8. Não quiseram participar na homenagem apesar de _____ (convidar).
9. Seis meses depois de _____ (admitir), foi promovido a gerente.
10. No caso de ainda não _____ (comprar) bilhetes, aconselho-te a fazê-lo antes que se esgotem.

28.2. Complete as frases com os verbos no **infinitivo pessoal simples** ou **composto**.

1. Caso não possas vir, telefona-me.
   No caso de _____.
2. É provável que já tenham sido apresentados no congresso anterior.
   É provável _____.
3. Espero que tenha desligado o gás quando saí de casa.
   Espero _____.
4. Lamento que não tenham podido assistir à estreia.
   Lamento _____.
5. Embora tenham muito dinheiro, são pessoas discretas.
   Apesar de _____.
6. Não saiam sem que nós tenhamos chegado.
   Não saiam sem _____.
7. Embora o tempo tenha estado péssimo, não adiaram as provas de atletismo.
   Apesar de _____.
8. Fiquei contentíssimo porque tive a melhor nota.
   Fiquei contentíssimo por _____.
9. Não vás para a rua sem que ponhas o casaco.
   Não vás para a rua sem _____.
10. Vou precisar da vossa ajuda até que o médico venha.
    Vou precisar da vossa ajuda até _____.
11. É lógico que eles pensem de outra maneira.
    É lógico _____.
12. Peço-lhe que venha falar comigo.
    Peço-lhe para _____.
13. Partiram sem que se tivessem despedido.
    Partiram sem _____.
14. É absolutamente necessário que não voltem a repetir tais erros.
    É absolutamente necessário _____.
15. Quero que tudo esteja pronto antes que os convidados cheguem.
    Quero que tudo esteja pronto antes de _____.

Unidade 29 Orações proporcionais

Orações proporcionais		
Quanto mais	........................, mais	....
Quanto mais	........................, menos	....
Quanto mais	........................, melhor	....
Quanto mais	........................, pior	....
Quanto menos	........................, menos	....
Quanto menos,	........................, mais	....
Quanto melhor	........................, melhor	....
Quanto pior	........................, pior	....

- Usamos este tipo de expressões para comparar ou contrastar e, consequentemente, para indicar o resultado (lógico ou ilógico) daquilo que exprimimos na 1ª frase.

Quanto mais doces comeres, **mais** engordas.
Quanto mais estudo, **menos** sei.
Quanto mais caro for o hotel, **melhor** é o serviço.
Quanto mais têm, **mais** querem.

- Na generalidade, usamos o futuro do conjuntivo na 1ª frase para exprimir uma acção eventual no futuro. É também possível o uso do presente do indicativo na 1ª frase sempre que estivermos a falar de acções presentes/factuais, e ditados populares.

Assim temos:

1ª frase	2ª frase
Quanto...+ futuro do conjuntivo	presente ou futuro do indicativo
Quanto...+ presente do indicativo	presente ou futuro do indicativo

Quanto mais habilitações **tiveres**, melhores | **são** / **serão** as ofertas.

Quanto menos **vendermos**, pior | **é** / **será** para o negócio.

Quanto piores **forem** as instalações, menos pessoas | **vêm** / **virão**.

Quanto mais me **explicas**, mais **confuso** fico.

* Quanto mais me **bates**, mais **gosto** de ti.

* Quanto mais alto se **sobe**, maior **é** a queda.

* Ditados populares

Unidade 29   Exercícios

29.1. Escolha uma frase do **quadro A** para **combinar** com uma frase do **quadro B**.

A		**B**	
	~~Quanto mais esfregares~~		mais depressa recupero a linha
	Quanto menos souberem		mais me apetece ficar em casa
	Quanto mais tempo estiver à espera		mais clientes perderão
	Quanto melhor o conheço		~~mais a cor sai~~
	Quanto menos comeres		mais fraca te sentes
	Quanto mais exercícios fizer		melhor para eles
	Quanto pior for o serviço		mais impaciente fica
	Quanto mais frio está o tempo		mais gosto dele

1. *Quanto mais esfregares, mais a cor sai* _____ .
2. _____ .
3. _____ .
4. _____ .
5. _____ .
6. _____ .
7. _____ .
8. _____ .

29.2. Transforme as seguintes frases como no exemplo dado. Atenção aos **graus dos adjectivos**!

1. Preocupas-te muito. Por isso estás muito nervoso.
   Quanto mais te preocupas, mais nervoso estás _____ .
2. As pessoas têm pouco cuidado com o ambiente, o que é mau para todos nós.
   _____ .
3. Eles treinam muito. Obtêm, por isso, óptimos resultados.
   _____ .
4. Se vocês acabarem o trabalho depressa, poderão sair mais cedo.
   _____ .
5. Há pouco movimento à noite. É perigoso andar na rua.
   _____ .
6. Está muito calor. Tenho muita sede.
   _____ .

29.3. Complete com a forma correcta dos **advérbios**.

1. Quanto __*mais*__ tarde me deito, __*mais*__ me custa levantar cedo no dia seguinte.
2. Quanto _____ for o investimento em Portugal, _____ será para o desenvolvimento do país.
3. Quanto _____ grossa é a camisola, _____ frio tens.
4. Quanto _____ forem os serviços públicos, _____ queixas haverá.
5. Quanto _____ fuma, _____ é para a saúde dele.
6. Quanto _____ se ganha, _____ se gasta.

Unidade 30   dar, ficar e passar seguidos de preposição

| DAR |

| dar com - descobrir; encontrar |

Vai ser difícil **dar com** a casa deles. Não conheço bem a zona.

| dar-se (bem/mal) com - relacionar-se com; tolerar |

Os dois não **se dão** muito **bem**. Têm feitios completamente diferentes.

| dar em - tornar-se; resultar |

Ultimamente não se pode acreditar no que ele diz: **deu em** mentiroso.

| dar para - estar situado defronte |
| dar para - servir, ter vocação para |

As traseiras do escritório **dão para** o parque de estacionamento.
Essa caneta não **dá para** escrever neste tipo de papel.
Só de ver sangue fico mal disposto. Não **dou para** médico, com certeza.

| dar por - aperceber-se, reparar em |

Abri a luz, liguei o rádio e não **deste por** nada. Continuaste a dormir.

| FICAR |

| ficar com - guardar |

Alguém **ficou com** a minha caneta? Não a encontro em lado nenhum.

| ficar de - comprometer-se a, combinar |

Ficaram de me vir buscar às 19h00. São 19h30 e ainda ninguém apareceu.

| ficar em - permanecer |
| ficar em - estar situado |

Hoje **fico em** casa, estou cansadíssimo.
A nossa casa de férias **fica no** Alentejo, perto de Beja.

ficar para - adiar, ser marcado para
ficar para - ser doado

Lamentamos informar, mas a sessão de autógrafos **ficará para** amanhã à noite.
O colar de diamantes **ficou para** a filha mais velha.

ficar por - acabar
ficar por - não concretizar, não realizar

Achava melhor **ficarmos por** aqui. Amanhã continuamos.
Saí de casa à pressa e **ficou** tudo **por** fazer.

PASSAR

passar a - começar finalmente
passar a - ser promovido

Depois do problema resolvido, **passou a** ser outra pessoa.
Com essa especialização, podes **passar a** enfermeira-chefe

passar de - ir além, ultrapassar

O médico já devia ter chegado. Já **passa das** 15h00.

passar de ... a - mudar de situação / condição

Com os conhecimentos que tem, rapidamente **passará de** assistente **a** professor.

passar-se (em) - acontecer, ocorrer

Passa-se qualquer coisa de estranho **naquela** casa.
O que é que **se passa**?

passar por - parecer, dar ideia de
passar por - ir via

Da maneira como fala até **passa por** médico.
Quando **passares por** Lisboa, vem visitar-nos.

passar para - mudar de lugar, transitar

Passa os dicionários **para** a prateleira de baixo. Ficam mais à mão.

não passar de - ser apenas/ não ser mais do que

Não se pode acreditar nele. Ele **não passa de** um mentiroso.

Unidade 30 Exercícios

30.1. Substitua as expressões assinaladas por uma equivalente com o verbo **dar** seguido de **preposição**. Faça as alterações necessárias.

1. Como é que **te estás a relacionar com** o teu novo chefe?

_____.

2. Tentámos tudo e **nada resultou**.

_____.

3. Esse produto não **serve para** soalhos de madeira.

_____.

4. **Não tenho feitio para** ficar em casa sem fazer nada.

_____.

5. Roubaram a mala à senhora e as pessoas que estavam ao pé fingiram **não ter reparado em nada**.

_____.

6. Enquanto não **descobrir** a solução, não descanso.

_____.

7. Tens uma vista maravilhosa. A tua casa **está situada em frente** dos jardins do Palácio.

_____.

30.2. Complete as seguintes frases com o verbo **ficar** seguido de **preposição**, contraindo-a com o artigo quando necessário.

1. Portugal _____ a zona mais ocidental da Europa.
2. Como já não querias aquela bicicleta velha, arranjei-a e _____ ela.
3. O António _____ vir ter connosco à porta do cinema.
4. Isto não _____ aqui! Amanhã quero voltar a este assunto.
5. Se não houver consenso, a votação _____ amanhã.
6. Chegámos tão cansados que não tive coragem de arrumar nada. As malas _____ desfazer.
7. Ninguém responde, o que é muito estranho, pois eles tinham dito que _____ casa.
8. O anel da minha avó _____ mim.

30.3. Substitua as expressões assinaladas por uma equivalente com o verbo **passar** seguido de **preposição**. Faça as alterações necessárias.

1. Está tanta gente ali na esquina. O que é que **terá acontecido**?

_____.

2. Finalmente **foi promovido** a chefe de secção.

_____.

3. Todos os alunos com uma disciplina em atraso **transitarão** automaticamente para o ano seguinte.

_____.

4. Se já tivesses **mudado** o quarto do bebé **para** os fundos, agora não tinhas problemas com o barulho.

_____.

5. Não gosto que respondas dessa maneira. **Pareces** mal educado.

_____.

30.4. Complete com a **preposição** correcta, contraindo-a com o **artigo** sempre que necessário.

1. O rio Limpopo passa _____ Maputo.
2. Toda a gente se dá bem _____ ele. É uma pessoa extraordinária.
3. Isto fica _____ outro dia.
4. Não consegui dar _____ a solução do problema.
5. Já passa _____ a hora de fechar.
6. Fiquei _____ me encontrar com eles.
7. Podes ficar _____ as fotografias.
8. Gosta de mostrar que tem dinheiro. Não passa _____ um novo-rico.
9. A janela do meu quarto dá _____ o quintal.
10. É impossível não terem ouvido o barulho. Com certeza fingiram não ter dado _____ nada.
11. Hoje ficamos _____ aqui.
12. Não se dão um _____ o outro.
13. Já sei que não gostas de estudar. Só dás mesmo _____ trabalhar.
14. Isso passou-se _____ o dia 1 de Dezembro de 1640.
15. Com esses óculos até passas _____ professora.
16. Foi difícil dar _____ o restaurante.
17. Com os maus exemplos da família, só podia dar _____ ladrão.
18. Passa _____ o meio-dia e a operação ainda não terminou.
19. Quem é que ficou _____ o meu dicionário?
20. Vou ficar _____ o escritório para não ficar nada _____ fazer e amanhã vou de férias descansado.

Unidade 31 fazer, pedir, ver e vir e *derivados*

Os verbos **fazer**, **pedir**, **ver** e **vir** são irregulares e, como tal, os seus derivados seguem o mesmo modelo de conjugação.

FAZER

- **desfazer** - desmanchar; dissolver.
- **perfazer** - preencher o número de.
- **rarefazer-se** - tornar-se menos denso; dilatar-se.
- **refazer** - fazer novamente; reconstruir.
- **refazer-se** - restabelecer-se.
- **satisfazer** - agradar a; ser suficiente.

PEDIR

- **desimpedir** - tirar ou remover o impedimento; desobstruir.
- **despedir** - dispensar os serviços de alguém.
- **despedir-se** - dizer adeus.
- **expedir** - enviar, mandar.
- **impedir** - não permitir; interromper; obstruir.

VER

- **prever** - supor; calcular; profetizar.
- **rever** - ver novamente; examinar com cuidado.

VIR

- **advir** - resultar.
- **convir** - ser útil, proveitoso.
- **intervir** - interferir.
- **provir** - descender.

Unidade 31   Exercícios

31.1. Complete com a forma correcta dos verbos derivados de:

A   FAZER

1. Ainda não _____ do susto que apanhou. Coitado! Nem consegue falar.
2. As crianças estiveram a brincar nos quartos e _____ as camas todas.
3. O gás _____ na atmosfera.
4. Acho melhor (tu) _____ a introdução da carta. Não está muito explícita.
5. Esse comprimido tem de ser _____ em meio copo de água.
6. Quando era pequeno, qualquer brinquedo o _____ .
7. Ora deixa cá ver... tudo junto _____ a quantia de 39.6 €.
8. Depois do incêndio, tiveram de _____ completamente a fachada do edifício.

B   PEDIR

1. Na totalidade, já _____ 3 000 trabalhadores.
2. Há mais de cinco minutos que estou a tentar ligar-lhe, mas o telefone continua _____ .
3. Depois do temporal, as estradas ficaram intrasitáveis. Os bombeiros precisaram da ajuda de todos para _____ as vias.
4. A encomenda _____ ontem. Só deve chegar ao destinatário daqui a três dias.
5. Está um carro avariado no meio da rua, _____ a circulação normal do trânsito.
6. Os regulamentos _____ a caça em certas épocas do ano.
7. Vá, meninos, _____ das pessoas que temos de ir embora.

C   VER

1. Como já se _____ , o espectáculo foi excelente.
2. Gostámos muito de vos _____ . Têm de vir cá a casa mais vezes.
3. Na semana passada (nós) _____ os tempos simples do conjuntivo.
4. Ninguém _____ que isso pudesse acontecer.

D   VIR

1. Mesmo _____ de uma família abastada, leva uma vida muito modesta.
2. Se não for operado já, poderão daí _____ graves consequências.
3. Não _____ na discussão. Deixa-os gritar e desabafar.
4. _____-me sair mais cedo. Tenho uma consulta médica às seis.

Unidade 32   pôr, ter e *derivados*

À semelhança da unidade anterior, também estes dois verbos — **pôr** e **ter** — são irregulares, o que significa que os seus derivados se conjugam do mesmo modo.

PÔR

- **compor** - escrever versos ou música; ajustar; arranjar.
- **compor-se** - ser formado de.
- **dispor** - pôr em ordem, arrumar.
- **dispor-se** - ter resolvido.
- **expor** - apresentar; fazer exposição de.
- **expor-se** - mostrar-se.
- **impor** - estabelecer.
- **impor-se** - fazer-se respeitar.
- **opor-se** - ser contrário.
- **propor** - sugerir.
- **supor** - presumir, imaginar.
- **transpor** - passar além ou por cima de.

N.B.: O verbo *pôr* tem acento circunflexo no infinitivo por ser uma palavra homógrafa da preposição *por*. O mesmo não acontece com os derivados de *pôr*, pelo que não levam acento circunflexo no infinitivo impessoal e na 1ª e 3ª pess. do sing. do infinitivo pessoal (formas terminadas em -or).

TER

- **abster-se** - deixar de intervir.
- **conter** - incluir.
- **conter-se** - reprimir-se.
- **deter** - demorar; ter em prisão.
- **deter-se** - demorar-se.
- **entreter-se** - divertir-se.
- **manter** - sustentar; conservar.
- **obter** - conseguir.
- **suster** - prender; segurar (para que não caia).

N.B.: Nos derivados de *ter,* o **e** da 2ª e 3ª pess. do sing. do presente do indicativo e da 2ª pess. do sing. do imperativo levam acento agudo (ver regras da acentuação gráfica — Unidade 39).

Unidade 32   Exercícios

32.1. Complete com a forma correcta dos verbos derivados de:

A   **PÔR**

1. Eu não _____ que isso pudesse acontecer.
2. Não houve votos contra, o que quer dizer que ninguém _____
3. Já pensaste como é que vais _____ a mobília na sala?
4. Como raramente ajudo na cozinha, hoje _____ a fazer o jantar.
5. Camões _____ sonetos lindíssimos.
6. Ele _____ o motor do carro sem qualquer dificuldade.
7. Ainda não houve um atleta português que _____ os seis metros no salto em altura.
8. _____ a tua gravata! O nó não está centrado.
9. Os trabalhos feitos pelas crianças da primária estão _____ no pavilhão.
10. Vemo-la constantemente na televisão e em locais públicos. Acho que _____ demasiado.
11. Se o professor _____ mais nas aulas, não haveria tantas queixas por parte dos pais.
12. Tiveram de evacuar a sala. Nem o juíz conseguiu _____ a ordem.
13. (Eu) _____ que fossemos todos jantar fora.
14. A obra completa _____ de 12 volumes.
15. Já _____ o problema à comissão e agora estou à espera duma resposta.

B   **TER**

1. Já reparei que estás com pressa. Eu não te _____ mais.
2. Em vez de sair com os amigos, o Rui _____ a ver televisão.
3. Nem voto contra, nem a favor: _____.
4. Apesar de ter sido atacado por toda a gente, _____ sempre a mesma postura calma.
5. Depois de ter visto tamanha injustiça, (eu) não _____ e disse-lhes tudo sem papas na língua.
6. Estás com soluços? Então _____ a respiração durante 15 segundos.
7. Com o pouco que ela ganhava, não sei como é que ela _____ aquele nível de vida.
8. Nos últimos Jogos Olímpicos, Portugal _____ apenas duas medalhas: vela e atletismo.
9. Os 3 livros _____ todas as estruturas gramaticais da língua.
10. Os traficantes _____ na fronteira de Vilar Formoso.

Unidade 33 ir e vir como verbos auxiliares; perifrásticas

1. Ir + infinitivo

a) ir no **presente do indicativo** + infinitivo
- Indica intenção firme de realização da acção ou certeza de que ela vai ser realizada no futuro próximo.
    - Ex: • O Primeiro Ministro **vai falar** logo à noite na televisão.
        - • Assim que chegar a casa, **vou telefonar** à Rita.

b) ir no **imperfeito do indicativo** + infinitivo
- Exprime o discurso indirecto da situação apresentada em a).
    - Ex: • O João disse que **ia telefonar** à Rita, quando chegasse a casa.
- Indica intenção de realização da acção, cuja execução é, no entanto, posta em dúvida.
    - Ex: • – Vai já sair?
        - – Sim, eu **ia almoçar**, mas se precisar de mim, posso ir mais tarde.

c) ir no **pretérito perfeito simples do indicativo** + infinitivo
- Indica que a acção anteriormente planeada já foi executada.
    - Ex: • Já **fui comprar** os bilhetes para o concerto.
- Indica movimento, já iniciado, em direcção a determinado fim, exprimindo intenção de realização da acção.
    - Ex: • A Rita saiu; **foi buscar** o filho à escola.

2. Ir + gerúndio

a) ir no **presente do indicativo** + gerúndio
- Indica o aspecto durativo de uma acção a iniciar ou a decorrer.
    - Ex: • **Vai andando**, que eu já lá vou ter.
        - • Enquanto as lojas não abrem, **vou vendo** as montras.

b) ir no **pret. perfeito simples do indicativo** + gerúndio
- Indica o aspecto durativo de uma acção passada.
    - Ex: • Enquanto não chegavas, **fui fazendo** o jantar.

c) ir no **imperfeito do indicativo** + gerúndio
- Indica a realização gradual de uma acção passada, realçando que esta se desenvolveu a pouco e pouco ou por etapas sucessivas.
    - Ex: • As notícias **iam chegando** ao longo do dia.
- Indica uma acção cuja realização esteve iminente (mas não se concretizou).
    - Ex: • O pavimento está muito escorregadio; já **ia caindo** por duas vezes.

3. Ir e Vir + infinitivo precedido da preposição a.

a) ir a + infinitivo
- Indica que a acção foi apenas iniciada.
    - Ex: • Eles já **vão a sair**, estão aí dentro de 10 minutos.
        - • Ela **ia a entrar** no carro, quando a chamaram.

b) vir a + infinitivo
- Indica o resultado final da acção.
    - Ex: • Como era de prever, ele **veio a ser** reeleito Presidente da Associação de Estudantes.
        - • Mais cedo ou mais tarde, tudo se **vem a descobrir**.
        - • Talvez ainda **venhas a ter** problemas, por seres tão frontal.

Unidade 33   Exercícios

33.1 Complete com o verbo **ir** na forma correcta seguido de **infinitivo**.

1. Eles não devem demorar._____ (tomar) um café.
2. Acho que não _____ (deixar) fugir esta oportunidade.
3. _____ (desligar) o telefone. Quero ter a certeza que ninguém nos _____
   (interromper).
4. O Sr. Moreira já vem aí. _____ só_____ (levantar) dinheiro ao banco.
5. – Porque é que não estavas em casa?
   – _____ (fazer) compras.
6. – Está pronta, D. Amélia?
   – _____ só _____ (pôr) o casaco.
7. Sabiam que _____ (encontrar) dificuldades, mas mesmo assim não desistiram.

33.2. Complete com o verbo **ir** na forma correcta seguido de **gerúndio**.

1. Não queres que eu _____ (preparar) a salada enquanto pões a mesa?
2. Podem _____ (descer). Estou quase pronto.
3. À medida que o Sr. Nunes _____ (ficar) mais velho, _____ (perder) a
   memória.
4. – O que é que te aconteceu? Estás branco!
   – _____ (ter) um acidente. _____ (atropelar) um velhote, mas felizmente
   consegui desviar-me a tempo.
5. Que grande queda! Tu _____ (partir) a cabeça!
6. Ele era um atleta com muita garra. À medida que _____ (aproximar-se) da meta,
   _____ (ganhar) forças e acabava por vencer.
7. O miúdo _____ (cair), mas o pai agarrou-o a tempo.

33.3 Complete com a forma correcta dos verbos **ir** e **vir** seguidos de **infinitivo** precedido da
   preposição **a**.

1. Foi precisamente no fim-de-semana passado que eu _____ (saber) de toda a história.
2. Finalmente desvendámos o mistério. _____ (descobrir) a solução meramente por acaso.
3. Eu _____ (subir) as escadas, quando ouvi o telefone tocar.
4. – Então, vocês não vêm?
   – Já _____ (sair). Vou só fechar a porta à chave.
5. – Encontraste a tua carteira?
   – Felizmente sim. _____ (encontrar) a carteira num dos meus casacos.
6. Ontem, quando nós _____ (chegar) a casa, vimos-te a passar.
7. Se jogarem sempre tão bem como hoje, talvez _____ (ganhar) o campeonato.

Unidade 34 — Se: pronome pessoal; partícula apassivante; conjunção subordinativa

1. – **Se** – Pronome pessoal

a) Reflexo, 3ª pessoa do singular e plural, feminino e masculino.
O pronome reflexo indica que a acção referida pelo verbo recai em quem a praticar, isto é, sobre o sujeito.
Ex: • O avô senta-**se** sempre nesse cadeirão. É dele, mais ninguém **se** senta lá.
• A Joana cortou-**se** com a faca, quando estava a descascar batatas.
• Todos os espectadores **se** levantaram, para aplaudirem os actores.

b) Recíproco, 3ª pessoa do plural, feminino e masculino.
O pronome recíproco indica que a acção referida pelo verbo é mútua entre duas ou mais pessoas.
Ex: • O João e o Nuno não **se** viam há imenso tempo. Encontraram-**se** ontem, por acaso, e abraçaram-**se**.
• As crianças dão-**se** muito bem umas com as outras.

2. – **Se** – Partícula apassivante

Dá valor passivo a frases cujo forma verbal (***sempre na 3ª pessoa***) está na voz activa e cujo agente da acção é indeterminado, ou seja, não está nomeado.
Se o sujeito também for indeterminado a forma verbal fica no singular; se este estiver expresso, então a forma verbal concorda em número com ele, ou seja, singular ou plural consoante o sujeito.
Ex: • Aqui *trabalha-se*, não **se** *brinca* — agente da acção e sujeito indeterminado:
forma verbal na 3ª pessoa do singular.
• *Alugam-se* quartos — agente da acção indeterminado; sujeito no plural:
forma verbal na 3ª pessoa do plural.
• *Fala-se* inglês — agente da acção indeterminado; sujeito no singular:
forma verbal na 3ª pessoa do singular.

3. – **Se** – Conjunção subordinativa

a) Integrante
A oração iniciada por "**se**" integra ou completa o sentido da outra oração; desempenha, em relação a esta, a função de complemento directo, podendo ser, ao mesmo tempo, interrogativa indirecta.
Uma vez que refere factos reais, a forma verbal está no modo ***indicativo***.
Ex: • Não sei **se** *posso* ir contigo ao cinema.
• Ele perguntou-me **se** eu *tinha visto* o Pedro.

b) Condicional
A oração iniciada por "**se**" indica uma condição, exprime uma hipótese, relativamente ao enunciado da outra oração.
Neste caso e uma vez que se refere a factos eventuais, hipotéticos, a forma verbal está no modo ***conjuntivo***.
Ex: • Vou contigo ao cinema, **se** *puder*.
• **Se** *tivesse* dinheiro, trocava de carro.

Unidade 34   Exercícios

34.1. Transforme as seguintes frases de modo a usar a partícula apassivante **se**.

A 1. **As pessoas dizem** que este Inverno vai ser muito chuvoso.
_____.

2. **As pessoas esperam** que a greve dos transportes termine rapidamente.
_____.

3. **As pessoas pensam** que ele enriqueceu com negócios ilegais.
_____.

B 1. Neste restaurante os empregados sabem falar inglês e francês.
Fala-se inglês e francês _____.

2. Aqui a roupa é lavada e engomada.
_____.

3. Nesta garagem é possível alugar bicicletas.
_____.

4. Aquela pastelaria aceita encomendas para o Natal.
_____.

34.2. Transforme a 1ª frase de modo a usar o **se** condicional.

1. Felizmente nem todos pensam como tu.
   Se todos pensassem como tu _____, não haveria mais raças no mundo.
2. Afinal ela não veio à inauguração.
   _____, teria gostado com certeza.
3. É uma pena viverem tão longe.
   _____, víamo-nos mais vezes.
4. O tempo está péssimo.
   _____, podíamos ir sair.
5. Infelizmente não tenho dinheiro.
   _____, trocava de carro.

34.3. Passe para o **discurso indirecto** as seguintes frases, fazendo as transformações necessárias.

1. "Alguém ficou com dúvidas?" quis saber o professor.
   O professor quis saber _____.
2. "Se tiver tempo, ainda passo por tua casa", disse o Jorge.
   O Jorge disse à irmã que _____.
3. "Tem uma caneta que me empreste?" perguntou o homem.
   O homem perguntou-me _____.
4. "Posso sair mais cedo?" perguntou a Rita.
   A Rita perguntou ao chefe _____.
5. "Se puder sair mais cedo, vou com vocês ao cinema" disse a Rita.
   A Rita disse-nos que _____.

34.4. Complete as frases com a forma correcta dos verbos dados, usando o pronome pessoal **se**.

1. O Miguel e o Rui _____ (encontrar) no fim-de-semana passado em minha casa.
   Há anos que não _____. (ver)
2. Hoje de manhã enquanto o António _____ (barbear), _____
   (cortar) no queixo com a lâmina.
3. Infelizmente os meus dois filhos _____ (dar) como cão e gato.
4. A minha mulher _____ (levantar) todos os dias às seis da manhã: é que gosta
   de _____ (arranjar) sem pressas.
5. Em tempos eles _____ (zangar). Agora que trabalham os dois no mesmo
   departamento, continuam a não _____ (falar).

Unidade 35 Relação semântica, fonética e gráfica entre palavras

1. Relação semântica entre as palavras

1.1. Sinonímia

Palavras sinónimas são palavras que têm um significado idêntico, ou muito semelhante, ou seja, que se podem substituir na mesma frase, sem lhe alterar o sentido.

Ex: Que dia **lindo**!   = Que dia **bonito**!
O João **vive** em Lisboa. =   O João **mora** em Lisboa.

1.2. Antonímia

Palavras antónimas são palavras que têm um significado oposto, ou seja, que ao serem substituidas na frase esta fica com o sentido contrário.

Ex: Está muito **calor** nesta sala. ≠ Está muito **frio** nesta sala.
Ele mora **perto** da escola. ≠ Ele mora **longe** da escola.

2. Relação fonética e gráfica entre as palavras

2.1. Homonímia

Palavras homónimas são palavras com pronúncia e grafia igual (isto é, que se pronunciam e escrevem da mesma maneira), mas com significado diferente.

Ex: Antigamente, a comunicação entre os povos **era** bastante complicada.
Actualmente, na **era** das telecomunicações, tudo está facilitado.
era (verbo ser)   vs.   era (época)

2.2. Homofonia

Palavras homófonas são palavras com pronúncia igual, mas com grafia e significado diferentes.

Ex: - Gosto muito de bolo de **noz**.
- E **nós** também!
noz (fruto seco)   vs.   nós (pronome pessoal)

2.3. Homografia

Palavras homógrafas são palavras com grafia igual, mas com pronúncia e significado diferentes.

Ex: A roupa já está **seca**. Agora é só engomar.
Moçambique é um país castigado pela **seca**.
seca (/ ê / = enxuta)   vs.   seca (/ é / = falta de chuva)

N.B.: A acentuação gráfica não é considerada, ou seja, **pôr** (verbo) e **por** (preposição) são palavras homógrafas.

2.4. Paronímia

Palavras parónimas são palavras com significado diferente, mas com grafia e **essencialmente pronúncia muito parecidas**, o que, por vezes, pode dar origem a confusão.

Ex: Encontrei hoje o João e ele mandou **cumprimentos** para si, mãe.
A sala tem três metros e meio de **comprimento**.
cumprimento (saudação)   vs.   comprimento (medida)

Unidade 35   Exercícios

35.1. | Palavras homónimas |

Para cada palavra dada, construa duas frases de modo a explicitar os seus diferentes sentidos.

1. | **canto** | a) *chilrear; som dos pássaros* _____ . b) *ângulo reentrante* _____ .

   a) *De manhã ouço o canto dos pássaros* . b) *O móvel do canto é muito antigo* _____ .

2. | **era** | a) _____ . b) _____ .

3. | **fumo** | a) _____ . b) _____ .

4. | **rio** | a) _____ . b) _____ .

5. | **são** | a) _____ . b) _____ .

6. | **vaga** | a) _____ . b) _____ .

35.2. | Palavras homófonas |

Complete as frases com a palavra adequada e em seguida explique o seu sentido, como no exemplo.

1. | **aço** | *liga de metal* _____ | **asso** | *forma do verbo assar* _____

   • _____ mais sardinhas para quem quiser.
   • Para segurar esse quadro tão pesado é melhor um prego de _____ .

2. | **acento** | _____ | **assento** | _____

   • Ainda não percebi o uso do _____ circunflexo.
   • Limpa o _____ primeiro. Está molhado.

3. | **à** | _____ | **há** | _____ | **ah** | _____

   • Nesta época _____ sempre muita gente na rua.
   • Estou _____ espera do autocarro _____ meia hora.
   • _____! Não me diga!

4. | **conserto** | _____ | **concerto** | _____

   • A máquina já não tem _____ .
   • O _____ dos Delfins foi um êxito.

5. | **houve** | _____ | **ouve** | _____

   • _____ bem o que te digo.
   • Neste último Verão _____ muitos incêndios.

6. | **coser** | _____ | **cozer** | _____

   • Podes pôr os legumes a _____ .
   • Preciso de linha castanha para _____ o botão

7. | **eminente** | _____ | **iminente** | _____

   • Destacou-se como uma _____ figura no campo científico.
   • Já evacuaram o prédio, porque o seu desmoronamento está _____ .

8. **elegível** _____ **ilegível** _____

   • Por só agora ter entrado para o partido, não é _____ para esse cargo
   • Não consigo decifrar a receita. A letra é completamente _____.

9. **roído** _____ **ruído** _____

   • Que _____ tão estranho! De onde virá?
   • O meu casaco preferido foi _____ pelas traças.

10. **traz** _____ **trás** _____

    • Importa-se de chegar o carro um pouco para _____?
    • Quem é que _____ ás bebidas?

11. **tenção** _____ **tensão** _____

    • Antes do jogo começar, havia grande _____ entre os adeptos das duas equipas.
    • Se não tiver muito trabalho e sair mais cedo, faço _____ de ir com vocês ao cinema.

35.3. **Palavras homógrafas**

Faça frases com os seguintes pares de palavras, de modo a ilustrar os seus diferentes sentidos.

1. a) **cor**   b) **cor**
   a) _____.   b) _____.

2. a) **habito**   b) **hábito**
   a) _____.   b) _____.

3. a) **pode**   b) **pôde**
   a) _____.   b) _____.

4. a) **secretaria**   b) **secretária**
   a) _____.   b) _____.

35.4. Construa frases com os seguintes pares de palavras de modo a exemplificar os seus diferentes significados.

1. a) **cerca** — nome   b) **cerca** — verbo
   a) _____.   b) _____.

2. a) **cópia** — nome   b) **copia** — verbo
   a) _____.   b) _____.

3. a) **governo** — nome   b) **governo** — verbo
   a) _____.   b) _____.

4. a) **por** — preposição   b) **pôr** — verbo
   a) _____.   b) _____.

5. a) **sábia** — nome   b) **sabia** — verbo
   a) _____.   b) _____.

35.5. Palavras parónimas

Construa frases com os seguintes pares de palavras de modo a ilustrar os seus significados.

1. a) crer   b) querer
   a) _____.   b) _____.

2. a) cumprimento   b) comprimento
   a) _____.   b) _____.

3. a) evasão   b) invasão
   a) _____.   b) _____.

4. a) previdente   b) providente
   a) _____.   b) _____.

5. a) prefeito   b) perfeito
   a) _____.   b) _____.

35.6. Sinónimos

Qual, das quatro hipóteses, é que tem o significado mais próximo da palavra destacada?

1. Apesar de já estar na casa dos quarenta, continua com óptimo **aspecto**.
   a) carácter   b) ar   c) feitio   d) rosto

2. Talvez por ser **tímida** é que não gosta de falar em público.
   a) fraca   b) sincera   c) acanhada   d) corajosa

3. O espectáculo de ontem foi simplesmente **sensacional**.
   a) estupendo   b) importante   c) sensaborão   d) maçador

4. Nunca o vi falar de uma maneira tão **doce**. Habitualmente é uma pessoa muito ríspida.
   a) lenta   b) exaltada   c) amarga   d) suave

5. A sua **pretensão** era vir a ser médico cardiologista.
   a) vaidade   b) previsão   c) ambição   d) projecção

35.7. Antónimos

Qual o contrário das palavras assinaladas?

1. Não achas que a comida está muito **salgada**?_____

2. A selecção nacional jogou claramente à **defesa**._____

3. Tragam as malas e os sacos para **baixo**._____

4. O vestido que me emprestaste para o casamento está-me muito **largo**._____

5. A manifestação está prevista para o **fim** da tarde._____

Unidade 36 Derivação por prefixação e sufixação

(ver Apêndice 3-A)

- Chamam-se **derivadas** às palavras que se formam acrescentando pequenos elementos antes ou depois da palavra primitiva (palavra original, isto é, que não se forma a partir de outra). Se o elemento se coloca antes da palavra primitiva chama-se **prefixo**; se se coloca depois chama-se **sufixo**. Há palavras que podem ser formadas simultaneamente por prefixos e sufixos.

  Ex: palavra primitiva — **feliz**
  palavra derivada por prefixação — <u>**in**feliz</u>
  palavra derivada por sufixação — feliz<u>**mente**</u>
  palavra derivada por prefixação e sufixação — <u>**in**feliz**mente**</u>

- As palavras assim formadas adquirem novos significados, ou seja, os prefixos e os sufixos conferem diferentes sentidos às palavras.

1. Palavras derivadas por prefixação

1.1. A ideia de **negação** ou **oposição** é dada pelos prefixos **des–, i–, ir–, im–** e **in–**.

Ex: • Fiquei muito <u>**des**contente</u> com o teu comportamento.
• Não sei porquê, mas sinto-me <u>**in**feliz</u>.

1.2. A ideia de **movimento para dentro** e **movimento para fora** é dada pelos prefixos **i–, im–** e **e–, ex–**, respectivamente.

Ex: • Nos anos 60, muitos foram os Portugueses que <u>**e**migraram</u> para França.
• Há muitos <u>**i**migrantes</u> africanos a viver em Portugal.
• Portugal <u>**im**porta</u> mais produtos do que aqueles que <u>**ex**porta</u>.

1.3. A ideia de **anterioridade** é dada pelo prefixo **pre–**.

Ex: • De acordo com a <u>**pre**visão</u> meteorológica, amanhã vai chover.

1.4. A ideia de **repetição** ou **movimento em sentido contrário** é dada pelo prefixo **re–**.

Ex: • Por tua causa, vou ter de <u>**re**fazer</u> o trabalho todo.
• O quadro foi <u>**re**tirado</u> da parede.

1.5. A ideia de **união, companhia** é dada pelos prefixos **co–, com–, con–**.

Ex: • É um trabalho de equipa e, como tal, todos irão <u>**com**participar</u> nele.
• O objectivo da festa é a <u>**con**fraternização</u> entre todos os <u>**co**laboradores</u> da empresa.

2. Palavras derivadas por sufixação

2.1. O sentido de **começo de uma acção** ou **passagem para um estado** é dada pelo sufixo verbal **–ecer**.

Ex: • Não gosto nada do Inverno: só são 17h30 e já está a anoit**ecer**.
   • Com tantas preocupações, vais envelh**ecer** antes do tempo!

2.2. O sentido de **realização de uma acção** é dado pelos sufixos verbais **–itar** e **–izar**.

Ex: • As novas tecnologias vieram facil**itar** a vida a toda a gente.
   • Ainda há regiões do mundo para civil**izar**.

2.3. O sentido de **modo** é dado pelo sufixo adverbial **–mente**.

Ex: • Consegue facil**mente** tudo o que quer.

2.4. O sentido de **profissão, ocupação** é dado pelos sufixos nominais **–ante, –eiro, –ista, –or**.

Ex: • O jornal**eiro** é o homem que vende os jornais; o jornal**ista** é quem escreve os artigos.
   • Os estud**antes** vão ser recebidos pelo direct**or** da escola.

2.5. O sentido de **qualidade** ou **estado** é dado pelos sufixos nominais **–al, –ância, –ência, –dade, –dão, –ez, –eza, –ia, –oso, –ura, –vel**.

Ex: • Não houve nenhuma vítima mort**al**, devido à rapid**ez** com que os bombeiros chegaram ao local de incêndio.
   • A toler**ância** e a prud**ência** são qualidades que ele não tem: é muito impaciente e precipitado.
   • Clar**idade** e escur**idão** são, em linguagem poética, sinónimos de alegr**ia** e trist**eza**.
   • Dá gosto ver a tern**ura** com que a avó trata os netos. Eles também são muito amá**veis** e carinh**osos** com ela.

2.6. O sentido de **nacionalidade** ou **origem** é dado pelos sufixos nominais **–ano, –ão, –eiro, –ês, –ol**.

Ex: • O Sam é americ**ano**, o Fritz é alem**ão**, o Roberto é brasil**eiro**, o Manuel é portug**uês** e o Juan é espanh**ol**.

2.7. O sentido de **resultado da acção** é dado pelos sufixos nominais **–ança, –ença, –ão, –ção, –gem, –mento, –ura**.

Ex: • Estou a ler um artigo sobre as semelh**anças** e difer**enças** entre os povos.
   • Em minha opini**ão**, o gosto pela leit**ura** tem a ver com a educa**ção** que recebemos.
   • Apesar da trava**gem** brusca, não conseguiu evitar o atropela**mento**.

2.8. O sentido de **estabelecimento de venda** é dado pelo sufixo nominal **–aria**.

Ex: • Vou à frut**aria** comprar laranjas e pêras.

2.9. O sentido de **pequenez, diminuição** é dado pelos sufixos nominais **–inho, –ino, –ito**.

Ex: • O Manel**ito** tem uma letr**inha** tão pequen**ina** que mal se consegue ler.

2.10. O sentido de **grandeza, aumento** é dado pelo sufixo nominal **–ão**.

Ex: • Ele vive sozinho naquele imenso casar**ão**, que herdou do avô.

Unidade 36   Exercícios

36.1. Com os **prefixos** a seguir indicados, forme palavras de modo a exprimir a ideia contrária da palavra dada.

| des– | in– | im– | ir– | i– |

1. Isso não passou de um lamentável _____ . | previsto |
2. Tens o quarto numa total _____ . | ordem |
3. Com tanta gente a fumar, o ar tornou-se _____ . | respirável |
4. Tudo o que ele diz é completamente _____ . | coerente |
5. É um aluno com uma assiduidade muito _____ . | regular |
6. O que tu fizeste foi _____ . | perdoável |
7. O computador tem possibilidades _____ . | limitadas |
8. Os médicos chegaram à conclusão que a doença dele é _____ . | reversível |
9. Ao longo da sua vida, tem tido uma carreira _____ . | repreensível |
10. A cobra é um animal _____ . | vertebrado |

36.2. Com os seguintes **sufixos**, indique a **nacionalidade** ou **origem** correspondente às palavras dadas.

| –ano | –ão | –eiro | –ês | –ol |

1. Austrália _____ *australiano* _____
2. Espanha _____
3. Dinamarca _____
4. Itália _____
5. Escócia _____

6. Brasil _____
7. Açores _____
8. China _____
9. Alemanha _____
10. África _____

36.3. Com os seguintes **sufixos**, forme **substantivos** a partir da palavra dada.

| –ança | / | –ença |

1. lembrar _____
2. doente _____
3. perseverante _____
4. diferente _____
5. parecido _____

| –ância | / | –ência |

elegante _____
distante _____
decente _____
violento _____
experiente _____

| –ção |

6. mal _____
7. orientar _____
8. distrair _____
9. eleger _____
10. aflito _____

| –dade | / | –dão |

ágil _____
apto _____
hábil _____
lento _____
sóbrio _____

| –gem |

11. homenagear _____
12. secar _____
13. lavar _____
14. dobrar _____
15. filmar _____

| –ia |

teimoso _____
irónico _____
cobarde _____
valente _____
alegre _____

| –ura |

terno _____
culto _____
ferver _____
cobrir _____
queimar _____

36.4. Com os seguintes **sufixos**, forme **verbos** a partir da palavra dada.

–ecer		**–itar / –izar**	
1. manhã	_____	crédito	_____
2. tarde	_____	real	_____
3. noite	_____	sistema	_____
4. raiva	_____	explícito	_____
5. doença	_____	moderno	_____

36.5. A partir da palavra dada, forme **adjectivos** com os seguintes sufixos.

–al		**–vel**	
1. excepção	_____	louvar	_____
2. mês	_____	dispor	_____
3. semana	_____	alterar	_____
4. comércio	_____	favor	_____
5. espírito	_____	saúde	_____

36.6. A partir dos **sufixos** dados, preencha os espaços com a **profissão / ocupação** correcta.

–eira / –eiro	**–ista**	**–or / –ora**

1. Conduz um camião _____*camionista*_____
2. Conserta sapatos _____
3. Colecciona selos _____
4. Dirige uma universidade _____
5. Fabrica loiça de barro _____
6. Trabalha no campo _____
7. Apaga os fogos _____
8. Escreve romances _____
9. Vende flores _____
10. Trabalha em madeira _____

36.7. A partir da expressão dada, forme o **advérbio** com o sufixo **–mente** .

1. **Na realidade**, preciso de mais uns dias para acabar o trabalho. _____*Realmente*_____
2. A programação dos canais de televisão é alterada **com frequência**. _____
3. Estou a falar-lhe **com sinceridade**. _____
4. Oiçam **com atenção** o que eu vou dizer. _____
5. Aconteceu tudo tão **de repente** que não tivemos tempo de tomar providências. _____
6. Não me digas que vieste **de propósito** do Porto a Lisboa só para me visitar! _____
7. Vivem **sem preocupações**: não têm filhos e ambos ganham bem. _____
8. Costumavam encontrar-se **em segredo** na casa de campo. _____
9. A tomada de posse vai ser transmitida **em simultâneo** em todos os canais. _____
10. **Com efeito**, os resultados das eleições não foram muito animadores. _____
11. Sempre tratou das crianças **com muito carinho**. _____

Unidade 37 Composição por justaposição e aglutinação *(ver Apêndice 3-B)*

- Chamam-se **compostas** às palavras que se formam a partir de outras palavras. Estas novas palavras adquirem um ***novo significado***, que pode nada ter em comum com as palavras que lhes deram origem.

>   Ex: amor-perfeito   (nome de uma flor)

- São dois os processos de formação das palavras compostas: **justaposição** e **aglutinação**.

1. Palavras compostas por justaposição

Formam-se a partir de duas palavras, que podem estar ligadas por uma preposição, mantendo cada uma o seu acento tónico. Estas palavras têm diferentes categorias gramaticais: substantivos, adjectivos, verbos, numerais, advérbios, etc.
Regra geral, os elementos que constituem a nova palavra estão unidos por um hífen.

>   Ex: • Ao almoço comi pescada cozida com **couve-flor** e batatas.
>
>   • Ela está a aprender a linguagem gestual, porque vai trabalhar com **surdos-mudos**.
>
>   • Ele é **guarda-costas** de um **secretário de estado**.
>
>   • O bolo de que mais gosto é o **mil-folhas**.
>
>   • O senhor será sempre **bem-vindo** à nossa casa.
>
>   • Perdi o meu **chapéu-de-chuva**: já é o segundo, este inverno.

2. Palavras compostas por aglutinação

Formam-se a partir de duas ou mais palavras que se unem intimamente, ficando com um só acento tónico (o da última palavra).

>   Ex: • Na minha casa só uso óleo de **girassol** para cozinhar.
>   (gira sol → girassol)
>
>   • É uma criança insuportável: faz birras e dá **pontapés** em tudo.
>   (ponta do pé → pontapé)
>
>   • O rum é **aguardente** que se obtém da cana-de-açúcar.
>   (água ardente → aguardente)
>
>   • O flamingo é uma ave **pernalta** de grande beleza, pouco comum em Portugal.
>   (perna alta → pernalta)
>
>   • A aldeia situa-se num **planalto** em plena Serra da Estrela.
>   (plano alto → planalto)

Unidade 37 Exercícios

37.1. Cada palavra da caixa **A** combina com uma da caixa **B**. Forme, deste modo, **palavras compostas**, usando, quando necessário, hífen e/ou preposição. Complete as frases com a palavra adequada

A		
água	estrela	porta
azul	~~guarda~~	saca
belas	luso	surdo
cabeça	novo	trinca
castanho	obra	troca
chapéu	pé	

B		
rico	voz	colónia
mar	tintas	rolhas
~~fato~~	escuro	espinhas
prima	sol	cabra
mudo	artes	casal
claro	brasileiro	

1. Tem tanta roupa que já nada lhe cabe no _guarda - fato_.
2. O Rui está cada vez mais alto. O pior é que continua muito magro. Parece um _____.
3. Não se esqueçam de levar os _____ para a praia. A exposição prolongada ao sol é muito perigosa.
4. Sou assistente social e trabalho com crianças _____.
5. Tem o cabelo _____ e uns lindos olhos _____, quase transparentes.
6. Enquanto estivemos na praia, as crianças apanharam duas _____ e montes de conchas.
7. Trouxeram as bebidas, mas ninguém se lembrou de trazer um _____ para abrir as garrafas.
8. Pela maneira como se comportam vê-se logo que são_____; gastam dinheiro ao desbarato e gostam de mostrar tudo o que têm.
9. Arrombaram a porta com um _____ e levaram tudo o que havia de valor.
10. O meu namorado ofereceu-me uma _____ muito fresca, com um cheiro muito agradável a limão.
11. Portugueses e brasileiros foram apurados. Esta final _____ vai suscitar muita expectativa.
12. "Os Lusíadas" de Luis de Camões são, sem dúvida, a sua _____.
13. Não podes dar crédito a tudo o que ele diz: é um _____.
14. Aos olhos da lei é normalmente o homem, o marido, o _____.
15. O ministro fez-se representar por um _____ que transmitiu a mensagem aos grevistas.
16. No campo das _____ foi muito completo. No entanto, o artista destacou-se mais na pintura.

37.2. Com os seguintes conjuntos de palavras, forme **uma só palavra**. Em seguida complete as frases com a **palavra adequada**.

filho de algo _____	monte santo _____
passa porte _____	roda pé _____
vai e vem _____	vinho acre _____

1. Os jornais noticiaram mais uma viagem com êxito do _____ espacial norte americano.
2. Como pertencemos à União Europeia já não é necessário apresentar _____ quando viajamos pela Europa.
3. Azeite e_____ são temperos muito usados na cozinha portuguesa.
4. _____ é considerado o pulmão da cidade de Lisboa.
5. A casa ficou lindíssima. Tanto os tectos como os_____ são em madeira, o que contrasta com o branco das paredes.
6. O sentido mais popular de _____ é precisamente o de um indivíduo que vive à custa dos rendimentos (não gosta de trabalhar) e anda sempre bem vestido.

Unidade 38 Frases enfáticas; expressões de realce

Para além da entoação com que a frase poderá ser dita ou deverá ser lida, pode-se recorrer a certas expressões ou palavras, para enfatizar toda ou parte da mensagem.

Estas expressões ou palavras podem ser retiradas da frase sem lhe alterar o sentido, uma vez que servem apenas para tornar a mensagem mais "expressiva", mais "viva", ao dar realce a determinados elementos (traduzindo assim os sentimentos ou a opinião do emissor).

Vejamos alguns casos:

1. **é que** (a) e **que** (b)
   Enfatiza, essencialmente, os elementos que os precedem.
   Ex: (a) • *Como* **é que** *te chamas?*
   • *A que horas* **é que** *acabam as aulas?*
   • *Pergunta-lhe porque* **é que** *ele chega sempre atrasado.*
   • *Então tu* **é que** *és o novo director.* Parabéns!
   (b) • *Há horas* **que** *ando à sua procura.*
   • *Quase* **que** *não te conhecia, com essa barba.*

   OBS.: A expressão **é que** usa-se com muita frequência nas frases interrogativas.

2. **ser** (a) e **ser (...) que** (b)
   Enfatiza o elemento da frase que está à sua direita (a) ou que está no meio (b); fica sempre na 3ª pessoa do singular e no mesmo tempo do verbo que o precede.
   Ex: (a) • Vocês não querem   **é**   *trabalhar.*

↓	↓	↓
Presente do	3ª pessoa sing.	elemento a que
Indicativo	Presente do Ind.	se está a dar ênfase

   • Eu gostava   **era**   *de visitar o Japão.*

↓	↓	↓
Imperfeito do	3ª pess. sing.	elemento a que
Indicativo	do Imp. do Ind.	se está a dar ênfase

   (b) • **Foi** *aqui* **que** *nos conhecemos.*
   • **Era** *numa ilha das Caraíbas* **que** *eu queria passar férias.*
   • **É** *contigo* **que** *eu quero falar.*

3. **cá** e **lá**
   Enfatizam o sujeito da frase. **Cá** põe em realce formas da 1ª pessoa e **lá**, formas das 2ª e 3ª pessoas.
   Ex: • *Eu* **cá** *vou ao cinema logo à noite.*
   • *Tu* **lá** *sabes o que vais fazer.*
   • *Eles* **lá** *acabaram por se entenderem.*

4. **Pronome pessoal complemento circunstancial** precedido da preposição **a**
   Enfatiza o pronome pessoal complemento directo ou indirecto, isto é, a(s) pessoa(s) a que estes pronomes se refere(m).
   Ex: • O pai emprestou-*me* o carro, **a mim**.
   • **A ti**, não *te* dou nada porque não mereces.
   • Convidaram-*no* **a ele** para treinador da equipa.
   • Saiu-*lhe* **a ela** o 1º prémio do sorteio. Que sorte!
   • **A si**, vão contactá-*lo* amanhã, Sr. Silva.
   • Talvez ele *vos* diga **a vocês** a verdade.

Unidade 38   Exercícios

38.1 Usando o verbo **ser**, enfatize as seguintes frases como no exemplo.

1. Decidi ir directamente ao chefe expor o problema.
   Decidi foi ir directamente ao chefe expor o problema _____.
2. Não queres fazer nada.
   _____.
3. Gostava que pudessem vir.
   _____.
4. Ela só pensa em divertir-se.
   _____.
5. Venderam-te uma imitação.
   _____.
6. Convinha que estivessem todos presentes.
   _____.

38.2. Encaixe as particulas de realce **cá** e **lá** nas seguintes frases.

1. Eu preferia ir ao cinema. E tu?
   Eu cá preferia ir ao cinema. E tu _____?
2. Vocês devem saber o que estão a fazer.
   _____.
3. Ela voltou a cometer o mesmo erro.
   _____.
4. Conseguiste vender o carro por um bom preço.
   _____.
5. Eu vou ficar a tomar conta das crianças.
   _____.
6. Depois de esperarem horas, conseguiram uma boleia.
   _____.

38.3. Faça de novo as frases, usando a preposição **a** seguida do **pronome pessoal complemento circunstancial**. Atenção à colocação na frase.

1. Pagaram-**me** todas as despesas da viagem.
   A mim pagaram-me todas as despesas da viagem _____.
2. Ainda **lhe** ficou a dever muito dinheiro. Coitado do João!
   _____.
3. Ninguém **nos** avisou da reunião.
   _____.
4. De certeza que **o** vão eleger para o próximo mandato.
   _____.
5. O banco vai devolver-**lhe** os juros creditados, D. Teresa.
   _____.
6. Não **te** empresto mais nenhum livro.
   _____.

38.4. Use a expressão de realce **ser...que** nas seguintes frases.

1. A maior parte dos portugueses faz férias **no Algarve**.
   É no Algarve que a maior parte dos portugueses faz férias ____.
2. Os melhores anos foram passados **na escola**.
   _____.
3. Iam sempre ao cinema **à sexta-feira à noite**.
   _____.
4. **De manhã e ao final da tarde** há sempre muito trânsito.
   _____.
5. Queria ouvir primeiro **a vossa opinião sobre este assunto**.
   _____.
6. Ela gosta de desabafar **comigo**.
   _____.

Unidade 39 Regras da acentuação gráfica

(ver Apêndice 1)

■ **Acentuação das palavras esdrúxulas**

- Todas as palavras esdrúxulas são acentuadas graficamente:

   1. com acento agudo, se a vogal da sílaba tónica for aberta
      último; rápido; relatório; exército; íntimo;

   2. com acento circunflexo, se a vogal da sílaba tónica não for aberta:
      lâmpada; pêssego; estômago; providência; elegância.

■ **Acentuação das palavras agudas**

- Determinadas palavras agudas são acentuadas graficamente:

   1. Com acento agudo:

      a) palavras terminadas nas vogais abertas **-a**, **-e**, **-o** e nos ditongos abertos **-ei**, **-oi**, **-eu**, seguidos ou não de **-s**:
         pá; dás; jacaré; avó
         anéis; lençóis; chapéu.

      b) palavras com duas ou mais sílabas terminadas em **-em** ou **-ens**
         também; ninguém; parabéns; convém

      N.B.: Os monossílabos terminados em **-em** ou **-ens** não se acentuam:
         bem; cem; tens.

      c) palavras terminadas nas vogais tónicas **-i** e **-u**, seguidos ou não de **-s**, quando precedidos de vogal com a qual não formam ditongo:
         aí, saí, país, baú

      N.B.: Não são, pois, acentuados, o **-i** ou o **-u** tónico, quando seguido de uma consoante que não seja **-s**:
         raiz; cair; Raul

   2. Com acento circunflexo:

      a) palavras terminadas nas vogais não abertas **-e**, **-o**, seguidas ou não de **-s**:
         lê; três; avô; pôs

      b) as formas verbais da 3ª pessoa do plural terminadas em **-em**, para as distinguir das do singular (igualmente terminadas em **-em**)
         vêm (cf:vem); detêm (cf. detém)

      c) a forma verbal **pôr**, para se distinguir da preposição **por**

      N.B.: Os derivados deste verbo não são acentuados: dispor; compor; supor.

■ Acentuação das palavras graves

• Uma vez que a grande maioria das palavras portuguesas são graves, a sua acentuação só se faz excepcionalmente, para evitar eventuais erros de leitura. Deste modo, deverá ser colocado na vogal tónica o acento agudo, se esta for aberta, ou circunflexo, se esta não for aberta, nos seguintes casos:

    a) nas formas terminadas em **-l**, **-n**, **-r** ou **-x**:
        fácil; pólen; carácter; tórax

    b) nas palavras terminadas em **-ir**, **-u**, vogal nasal ou ditongo, seguidos ou não de **-s**:
        lápis; Vénus; álbuns; órfã; bênção; órgãos

    c) nas palavras cuja vogal tónica oral é **-i** ou **-u**, precedida de vogal com que não forma ditongo:
        baía; saída; saúde; viúvo

    N.B.: Não são, pois, acentuadas as palavras cuja vogal tónica é nasal (ex: Coimbra; triunfo) ou seguida de som nasal *nh* (ex: rainha)

    d) nas palavras em cuja sílaba tónica está o ditongo oral aberto **-oi**:
        heróico; bóia

    e) nas formas verbais do mesmo verbo que podem confundir-se com outras:
        pôde (pret. perf. simples) cf. pode (pres. do ind.);
        falámos (pret. perf. simples) cf. falamos (pres. do ind.);

    f) nas seguintes formas verbais da 3ª pessoa do plural (mantendo o acento da forma do singular, por clareza gráfica)
        vêem; lêem; dêem; crêem

    g) nas palavras homógrafas para distinguir a sua leitura
        pára (verbo) cf. para (preposição)
        pêlo (subst.) cf. pelo (contracção por+o)

Unidade 39 Exercícios

39.1. Coloque os **acentos** respectivos nas palavras que devem ser acentuadas graficamente:

1. Japones	perfil	pontape	consul	rapaz
2. homem	moinho	refem	voces	falavamos
3. anel	sotao	oasis	caju	musica
4. raiz	dificil	ceu	agua	heroi
5. juri	veem	açucar	saida	portuguesa
6. ruido	apoio	paraiso	hotel	nuvem
7. armario	papeis	baus	virus	jiboia
8. moveis	camara	climax	compor	abriamos
9. miudo	piano	dariamos	gas	abdomen
10. util	atras	limão	paises	lessemos

39.2. Em cada par de palavras, uma é acentuada graficamente. Identifique qual e coloque o **acento correcto**.

1. — Cuidado, tia, não **caia**!
   — E **caia** mesmo, se não me tivesses segurado!

2. A Rita hoje já **pode** sair. Ontem não **pode**, porque teve de estudar.

3. O Paulo ainda não **tem** bilhete para o futebol, mas os amigos já **tem**.

4. O comboio que vai de Lisboa **para** o Porto, só **para** em Coimbra.

5. Normalmente **chegamos** sempre a tempo, mas ontem **chegamos** atrasados.

6. — A que horas fecha a **secretaria** da escola?
   — Não sei bem. Pergunta à D. Ana, a **secretaria** do Director.

7. Eu **sai** de casa aos 18 anos, mas o meu irmão diz que não **sai** antes dos 30.

8. Ele nasceu em Portugal, mas considera França o seu pais, para onde foi com os pais há mais de 20 anos.

9. Vou **aquela** loja comprar **aquela** camisola que está na montra.

10. Tudo **funcionaria** melhor, se admitissem outra **funcionaria** para esta secção.

11. **Por** mais que me esforce, não consigo **por** o trabalho em dia.

12. **As** aulas acabam **as** cinco da tarde.

13. Não me **interprete** mal, mas o **interprete** que me indicou não foi seleccionado.

14. Sofia, amanhã por **estas** horas já **estas** de férias.

15. **De**-me um copo **de** água, se faz favor.

39.3. Leia as frases com atenção e coloque o acento gráfico correcto nas palavras que o exigem.

1. Eu nunca ponho açucar nem no cha, nem no cafe; so no leite.

2. Fui ao medico, porque ha dias que ando cheio de dores de estomago.

3. Quando compramos a maquina fotografica, ofereceram-nos um album.

4. As vendas de automoveis no nosso pais, tem aumentado nos ultimos tempos.

5. A industria textil portuguesa e reconhecida internacionalmente.

6. Em anos de muita chuva, as consequencias das cheias no sector socio-economico são sempre dramaticas.

7. Ve ai no mapa quantos quilometros faltam para a fronteira.

8. Com este transito, se fossemos a pe, chegariamos mais depressa.

9. Voces leem as legendas a esta distancia?

10. O vocabulario especifico da area de direito não e nada facil.

11. Gostariamos de provar o bolo de amendoa, se fosse possivel.

12. O juiz chamou o advogado do reu a parte e ninguem sabe o que lhe tera dito.

13. Recebi uma carta dos meus avos e felizmente estão os dois bem de saude.

14. Sem duvida que contribuiste muito para o exito do espectaculo.

15. Ela pos-se a falar portugues em apenas tres meses.

Unidade 40 Uso dos sinais de pontuação

(ver Apêndice 2)

• o **ponto final** /./ • a **vírgula** /,/ • o **ponto e vírgula** /;/ • os **dois pontos** /:/	• o **ponto de interrogação** /?/ • o **ponto de exclamação** /!/ • as **reticências** /.../	• as **aspas** /«»/ ou **vírgulas altas** /""/ • os **parênteses** /()/ • o **travessão** /—/
↓	↓	↓
marcam as **pausas** ao longo ou no fim das frases, que exprimem um conjunto significativo.	indicam, para além das pausas, a **entoação** com que a frase foi dita ou deve ser lida.	assinalam outros factos.

• **ponto final:** coloca-se no fim de uma frase declarativa, para indicar que o sentido está completo.

Ex: D. Afonso Henriques foi o primeiro rei de Portugal.

• **vírgula:** delimita alguns elementos constituintes da frase; separa determinadas orações.

Ex: A Sofia, irmã do Diogo, não esteve na reunião, porque não foi avisada.

• **ponto e vírgula:** separa orações coordenadas, quando são extensas ou orações subordinadas que dependem do mesmo verbo.

Ex: O médico dá consultas, no hospital, às 2.ᵃˢ feiras das 9h00 às 12h30; no consultório, às 2.ᵃˢ e 4.ᵃˢ feiras das 18h00 às 20h00; na clínica, às 6.ᵃˢ feiras das 14h30 às 18h00.

• **dois pontos:** emprega-se antes de uma citação, fala, enumeração ou explicação.

Ex: As estações do ano são quatro: Primavera, Verão, Outono e Inverno.

• **ponto de interrogação:** coloca-se no fim de uma frase interrogativa directa.

Ex: Como é que se chama?

• **ponto de exclamação:** coloca-se no fim de uma frase exclamativa, depois das interjeições e das formas verbais de imperativo.

Ex: Que lindo dia! // Bravo! Gostei muito da sua intervenção.

• **reticências:** indicam que o sentido da frase está incompleto.

Ex: Foi a ambição que o perdeu! Quem tudo quer ...

• **aspas ou vírgulas altas:** empregam-se no princípio e no fim de uma transcrição ou citação, para citar o título de uma obra ou artigo, para realçar uma palavra ou expressão.

Ex: Li um artigo muito interessante sobre " Os Lusíadas ".

• **parênteses:** empregam-se para separar da frase uma palavra ou oração intercalada.

Ex: Estava no Algarve (que é onde costumo passar férias) quando soube do acidente pela televisão.

• **travessão:** tal como o parêntese, emprega-se para isolar no texto palavras ou frases e ainda para introduzir o discurso directo.

Ex: O professor disse:
— Façam o exercício da página 20.

Unidade 40   Exercícios

40.1. Leia com atenção os três textos e faça a sua **pontuação**, recorrendo aos sinais listados antes de cada um.

1.

,	;	:	.	" "

O curso para fins específicos Conceitos de Gestão visa ajudar os participantes a desenvolverem as suas capacidades em língua portuguesa de acordo com as suas necessidades profissionais. Os objectivos principais são revisão e consolidação das estruturas linguísticas enriquecimento quantitativo e selectivo do vocabulário na área específica em questão treino intensivo de capacidade criativa de expressão

2.

,	.	?	!	-	...

Então Luís sempre vens connosco   perguntou o João
Bem que eu gostaria mas   respondeu o Luís
Ah é verdade tens exame amanhã   disse o João   Que pena

3.

.	«»	( )	,

A arte do azulejo palavra derivada do árabe *al-zu-leycha* que significa pequena pedra é uma herança da cultura islâmica que após a Reconquista Cristã foi deixada aos povos da Península Ibérica

40.2. Leia com atenção o seguinte texto, colocando **os sinais de pontuação** adequados:

Através do testamento Calouste Gulbenkian criou nos termos da lei portuguesa uma fundação denominada Fundação Calouste Gulbenkian cujas bases essenciais são as seguintes

   a) é uma Fundação portuguesa perpétua com sede em Lisboa podendo ter em qualquer lugar do mundo civilizado as dependências que forem julgadas necessárias
   b) os seus fins são caritativos artísticos educativos e científicos
   c) a sua acção exercer-se-á não só em Portugal mas também em qualquer outro país onde os seus dirigentes o julguem conveniente

Deste modo a Fundação opera desde o princípio da sua existência no Médio Oriente a sua principal fonte de receitas provinha do Iraque junto às comunidades arménicas espalhadas pelo mundo Calouste Gulbenkian era arménio e no Reino Unido a sede dos negócios de Gulbenkian era em Londres e este naturalizara-se britânico Mais tarde a sua acção estender-se-ia a França país onde vivera largos anos antes de fixar residência em Lisboa e onde reunira grande parte da sua colecção de arte e a todos os países de língua oficial portuguesa com particular incidência no Brasil e novos estados africanos.

Apêndice 1

♦ Na língua portuguesa, **a sílaba tónica**, isto é, a sílaba que se pronuncia com mais intensidade, **situa-se sempre numa das três últimas sílabas da palavra**. Dependendo dessa posição, as palavras classificam-se em:

- agudas → acentuadas na última sílaba - arma**zém** (ar-ma-**zém**)
- graves → acentuadas na penúltima sílaba - ca**der**no (ca-**der**-no)
- esdrúxulas → acentuadas na antepenúltima sílaba - re**pú**blica.(re-**pú**-bli-ca)

♦ A maior parte das palavras portuguesas:

- são graves, isto é, têm o acento tónico na penúltima sílaba;
- não são acentuadas graficamente.

♦ Deste modo, o acento gráfico só se usa nos casos em que a sua omissão poderá levar a uma incorrecta pronúncia da palavra.

Os acentos gráficos são três:

grave (`)   ,   **agudo** (´)   e   **circunflexo** (^)

- Emprego do acento grave.

- O **acento grave** usa-se apenas para **marcar a sílaba não tónica** aberta, que resulta de uma contracção, geralmente de palavra com igual som vocálico.

Exemplo: preposição a + artigo definido a = à
preposição a + demonstrativo aquele = àquele

- Emprego dos acentos agudo e circunflexo.

- Os **acentos agudo e circunflexo** usam-se, em determinadas circunstâncias, para **marcar a sílaba tónica**, nomeadamente.

- agudo - quando a sílaba é aberta
- circunflexo - quando a sílaba não é aberta

Exemplo: avó
avô

Apêndice 2

Os sinais de pontuação são fundamentais para uma correcta interpretação da mensagem na linguagem escrita, representando as pausas, entoação, inflexão de voz do código oral. A sua omissão ou má colocação pode deturpar o sentido da frase ou levar mesmo à sua total incompreensão.

1. PONTO FINAL

Marca uma pausa demorada. Coloca-se no fim de uma frase declarativa, para indicar que o seu sentido está completo.

> Ex: Portugal é o país mais ocidental da Europa.

OBS: Pode ainda indicar supressão de letras e, neste caso, chama-se **ponto de abreviatura**.

> Ex: Exmo. Sr. Dr. = **Ex**celentíssi**mo S**enhor **D**outor

2. VÍRGULA ,

Marca uma pausa ligeira no interior das frases, delimitando alguns elementos que as constituem ou separando determinadas orações.
Recorre-se à vírgula para separar:

- O vocativo.

> Ex: — **Ó Miguel,** anda cá.
> — Está calado, **Pedro.**

- O aposto.

> Ex: A Dra. Madalena, **professora de Português,** está a organizar a visita de estudo.

- Os complementos circunstanciais.

> Ex: Fui convidado, **há dias,** para a inauguração de uma exposição de pintura, **na galeria de uma amiga minha, em Lisboa.**

- Determinadas palavras e expressões explicativas ou conclusivas - *efectivamente, portanto, ou seja, isto é, como tal, deste modo, por conseguinte,* etc.

> Ex: Segundo um relatório da OTI, um terço da força mundial de trabalho, **ou seja,** mil milhões de pessoas, está desempregada ou subaproveitada.

- Os advérbios *sim* e *não,* quando podem ser isolados do resto da frase.

> Ex: — Começa, **sim**. A reunião começa às 9h00.
> — **Não,** hoje ainda não vi o Pedro.

- As adversativas *porém*, *contudo*, *no entanto*, *apesar disso*, etc, no início ou no interior da frase.

  > Ex: Todos o consideram culpado. Eu, **porém,** acredito na sua inocência.
  > **No entanto,** teremos de aguardar o resultado do julgamento.

- As orações coordenadas adversativas ligadas por **mas**.

  > Ex: Ele disse que vinha à reunião, **mas** não veio.

- Palavras que desempenhem a mesma função na frase ou orações coordenadas, sempre que a conjugação *e, nem, ou*, estiver omitida.

  > Ex: Homens, mulheres, crianças, pulavam, gritavam, batiam palmas de tanta alegria.

- As orações gerundivas e participiais ou expressões equivalentes.

  > Ex: **Feitas as contas,** verificou-se que o saldo excedera as expectativas.
  > Saiu a correr, **batendo com a porta.**

- A oração intercalada.

  > Ex: A melhor defesa, **sempre ouvi dizer,** é o ataque.

- A oração relativa explicativa.

  > Ex: A Sofia, **que foi a melhor aluna do curso,** conseguiu um estágio na Suiça.

- A oração subordinada, intercalada ou não.

  > Ex: O João, **quando chegou a casa,** foi logo telefonar ao amigo.
  > Soube então que ele tinha faltado às aulas, **porque estava doente.**

3. PONTO E VÍRGULA

Marca uma pausa mais longa do que a vírgula, mas mais curta do que o ponto final.
Recorre-se ao ponto e vírgula para separar:

- Orações coordenadas, quando são extensas ou contêm elementos já separados por vírgulas.

  > Ex: O professor entrou na sala de aula e fechou a porta; pediu aos alunos, que já estavam todos sentados nos seus lugares, que abrissem os livros na página 23; leu o texto e explicou o vocabulário novo.

- Orações subordinadas que dependem da mesma subordinante.

  > Ex: É bom saber que temos um amigo; que podemos contar com alguém nos momentos difíceis; que não estamos sós.

4. DOIS PONTOS :

Marcam uma pausa relativamente demorada.
Recorre-se aos dois pontos para:

- Introduzir as falas dos discurso directo.

  > Ex: O professor disse**:**
  > — Hoje vamos fazer exercícios de revisão.

- Indicar uma citação.

> Ex: No cartaz estava escrito: "Vende-se ou aluga-se este apartamento"

- Apresentar uma enumeração ou explicação.

> Ex: A Península Ibérica é constituída por dois países: Portugal e Espanha.
> À primeira vista nem o reconheci: tinha cortado a barba, o que o fazia parecer mais novo.

5. PONTO DE INTERROGAÇÃO

Marca uma pausa. Coloca-se no fim de uma frase interrogativa directa, para reproduzir a entoação característica de uma pergunta.

> Ex: A que horas é que acabas hoje as aulas?

6. PONTO DE EXCLAMAÇÃO

Marca uma pausa. Coloca-se no fim de uma frase exclamativa, depois das interjeições e no fim de certas frases imperativas, para exprimir, através da entoação, as mais diferentes emoções (admiração, espanto, entusiasmo, ira, medo, dúvida etc.).

> Ex: — Oh! Está a nevar! Que bonito!
> — Irra! Está quieto!

7. RETICÊNCIAS

Marca uma pausa. Coloca-se no fim de uma frase para, através da entoação, indicar que o seu sentido não está completo (podendo estar subentendido) ou traduzir hesitação, dúvida, ironia (ou outros sentimentos).

> Ex: Devias ouvir os conselhos da tua mãe. Olha que quem te avisa...
> A cara dele não me é estranha, mas... não sei donde o conheço.

8. ASPAS ou VÍRGULAS ALTAS

Colocam-se no princípio e no fim de uma fala, transcrição ou citação; do título de uma obra, publicação, artigo, filme, etc; de uma palavra ou expressão para a destacar.

> Ex: "E tudo o vento levou" é um clássico do cinema americano.
> Muitas histórias infantis começam por "Era uma vez ..."
>
> «Quem vem lá?»
> «Sou eu, não te assustes»

9. PARÊNTESES

Empregam-se para intercalar na frase uma explicação, uma reflexão ou um comentário à margem da ideia principal.

> Ex: O centro histórico do Porto (fico sempre maravilhado com a beleza da zona ribeirinha!) é, desde 1996, património mundial.
> Essa foi uma directiva da UE (União Europeia) e, como tal, terá de ser acatada por todos os países membros.

10. TRAVESSÃO

Emprega-se para introduzir as falas, ou mudaças de falas, no discurso directo; para separar o discurso indirecto do discurso directo; para isolar uma palavra, expressão ou oração intercaladas numa frase.

> Ex: — Quem vem lá? — perguntou a Ana, com medo.
> — Sou eu — respondeu o João — não te assustes!

Apêndice 3 - A

FORMAÇÃO DE PALAVRAS — DERIVAÇÃO

- Chamam-se **derivadas** às palavras que se formam acrescentando pequenos elementos antes ou depois da palavra primitiva (palavra original, isto é, que não se forma a partir de outra). Se o elemento se coloca antes da palavra primitiva chama-se **prefixo**; se se coloca depois chama-se **sufixo**. Há palavras que podem ser formadas simultaneamente por prefixos e sufixos.

- Normalmente os prefixos têm uma significação exacta, concreta, enquanto que os sufixos apresentam a ideia de um modo mais vago.

- Os **sufixos** podem ser **verbais**, ou seja, com eles formam-se verbos; **adverbial**, ou seja, com ele formam-se advérbios; **nominais**, ou seja, com eles formam-se substantivos e adjectivos.

1. **Prefixos** mais usuais e seus significados.

Prefixos	Significado	Exemplos
a–; an–	privação; negação	**a**moral; **an**alfabeto
co–; com–; con–	união; companhia	**co**laborar; **com**por; **con**correr
de–; des–	oposição; acção contrária	**des**contente **des**fazer; **de**compor
e–; em–; en– i–; im–; in–	movimento para dentro;	**en**caixar; **im**portar; **i**migrar;
e–; em–; en–	mudança de estado	**em**palidecer; **en**gordar; **e**magrecer
e–; ex–	movimento para fora	**ex**portar; **e**migrar
i–; im–; in–; ir–	negação	**im**possível; **in**feliz; **i**legal; **ir**real
per–	movimento através de	**per**correr; **per**furar
pre–	anterioridade	**pre**ver; **pre**cedente
re–	repetição; movimento em sentido contrário	**re**ler; **re**lembrar; **re**meter; **re**compensar

2. **Sufixos** mais usuais e seus significados.

2.1. Sufixos verbais.

Sufixo	Significado	Exemplos
–ar; –er, –ir	indicação da acção	fal**ar**; com**er**; sa**ir**
–ecer	começo da acção; passagem para um estado	anoit**ecer** envelh**ecer**
–itar; –izar	realização da acção	civil**izar**; facil**itar**

2.2. Sufixo adverbial.

Sufixo	Significado	Exemplo
–mente	modo; maneira	facil**mente**; rapida**mente**

2.3. Sufixos nominais.

Sufixos	Significado	Exemplos
–ada	acção; resultado da acção; ajuntamento; abundância	colher**ada**; dent**ada** papel**ada**; passar**ada**
–al	qualidade; estado ajuntamento; lugar	mort**al**; leg**al** pinh**al**; laranj**al**
–ança; –ença	acção; resultado da acção	lembr**ança**; difer**ença**
–ância; –ência	qualidade; estado	toler**ância**; prud**ência**
–ano (–ana)	nacionalidade; origem	americ**ano**; itali**ana**
–ão	aumentativo; acção; resultado da acção; nacionalidade; origem	casar**ão**; port**ão** conclus**ão**; rasg**ão** alem**ão**; beir**ão**
–ar	relação; referência	escol**ar**; famili**ar**
–aria	estabelecimento de venda	livr**aria**; pastel**aria**
–ção	acção; resultado da acção	cria**ção**; forma**ção**
–dade; –dão	qualidade; estado	felici**dade**; escuri**dão**
–eira; –eiro	recipiente profissão nacionalidade; origem plantas	cafet**eira**; cinz**eiro** livr**eiro** brasil**eiro** ros**eira**; limo**eiro**
–ês (–esa)	nacionalidade; origem	portugu**ês**; franc**esa**
–ez; –eza	qualidade; estado	pequen**ez**; bel**eza**
–gem	acção; resultado da acção	lava**gem**; reporta**gem**
–ia	qualidade; estado	alegr**ia**; valent**ia**
–inho (–inha); –ino (–ina); –ito (–ita); –isco	diminutivos	rapaz**inho**; pequen**ina** mosqu**ito**; chuv**isco**
–ismo	sistema resultado da acção; terminologia científica	ideal**ismo**; material**ismo** hero**ísmo** neolog**ismo**
–ista	profissão	jornal**ista**; dent**ista**
–mento	acção; resultado da acção	desenvolvi**mento**
–ol (–ola)	nacionalidade; origem	espanh**ol**; espanh**ola**
–or (–ora)	profissão; ocupação	direct**or**; profess**ora**
–oso (–osa)	abundância; qualidade	chuv**oso**; mentir**osa**
–ura	acção; resultado da acção; qualidade; estado	pint**ura**; queimad**ura** branc**ura**; tern**ura**
–vel	qualidade; estado	amá**vel**; sensí**vel**

OBS: Entre a palavra primitiva e o sufixo pode surgir uma **consoante de ligação** para facilitar a pronúncia.

Ex: cafe**t**eira; cafe**z**al

Apêndice 3 - B

FORMAÇÃO DE PALAVRAS — COMPOSIÇÃO

- Chamam-se **compostas** às palavras que se formam a partir de duas, ou mais, palavras.

- Há, no entanto, dois processos de formação de palavras compostas: **justaposição** e **aglutinação**.

1. Chamam-se **compostas por justaposição** às palavras que se formaram a partir de duas palavras, por vezes ligadas por uma preposição, embora cada uma mantenha o seu próprio acento tónico. Na maior parte dos casos, os elementos desta nova palavra estão unidos por um hífen.

    Ex: couve-flor   :   substantivo + substantivo (a)

         amor-perfeito :   substantivo + adjectivo (b)

         novo-rico   :   adjectivo   + substantivo (c)

         surdo-mudo   :   adjectivo   + adjectivo (d)

         segunda-feira :   numeral   + substantivo (e)

         guarda-chuva :   verbo   + substantivo (f)

         bem-parecido :   advérbio   + adjectivo (g)

         chapéu-de-sol :   substantivo + preposição + substantivo (h)

OBS.: Quanto ao plural destas palavras compostas, note que nos casos (a), (b), (c), (d) e (e), os dois elementos vão para o plural; nos casos (f) e (g), só o 2º elemento vai para o plural; no caso (h), só o 1º elemento vai para o plural.

2. Chamam-se **compostas por aglutinação** às palavras que se formam a partir de duas ou mais palavras que se "fundem", por forma a darem origem a uma nova palavra com um único acento tónico, o do último elemento.

    Ex: fidalgo   (filho de algo)

         aguardente (água ardente)

         girassol   (gira sol)

OBS.: Quanto ao plural destas palavras compostas e uma vez que funcionam como uma única palavra, segue-se a regra geral. (ver Apêndice 3, Gramática activa 1)

Apêndice 4 - A

1ª conjugação (-ar)

DEITAR

Conjugação activa–formas simples		Conjugação activa–formas compostas	
INDICATIVO	**CONJUNTIVO**	**INDICATIVO**	**CONJUNTIVO**
Presente	**Presente**		**Pretérito perfeito**
deito	deite		tenha deitado
deitas	deites		tenhas deitado
deita	deite		tenha deitado
deitamos	deitemos		tenhamos deitado
deitam	deitem		tenham deitado
Pretérito imperfeito	**Pretérito imperfeito**		**Pretérito mais--que-perfeito**
deitava	deitasse		
deitavas	deitasses		tivesse deitado
deitava	deitasse		tivesses deitado
deitávamos	deitássemos		tivesse deitado
deitavam	deitassem		tivéssemos deitado
Pretérito perfeito	**Futuro**	**Pretérito perfeito**	tivessem deitado
deitei	deitar	tenho deitado	**Futuro perfeito**
deitaste	deitares	tens deitado	tiver deitado
deitou	deitar	tem deitou	tiveres deitado
deitámos	deitarmos	temos deitado	tiver deitado
deitaram	deitarem	têm deitado	tivermos deitado
Pretérito mais--que-perfeito		**Pretérito mais--que-perfeito**	tiverem deitado
deitara	**CONDICIONAL**	tinha deitado	**CONDICIONAL**
deitaras	deitaria	tinhas deitado	**Perfeito**
deitara	deitarias	tinha deitado	teria deitado
deitáramos	deitaria	tínhamos deitado	terias deitado
deitaram	deitaríamos	tinham deitado	teria deitado
Futuro	deitariam	**Futuro perfeito**	teríamos deitado
deitarei	**IMPERATIVO**	terei deitado	teriam deitado
deitarás		terás deitado	
deitará	deita	terá deitado	
deitaremos	deite	teremos deitado	
deitarão		terão deitado	
	deitem		
INFINITIVO	**OUTRAS FORMAS**	**INFINITIVO**	**OUTRAS FORMAS**
Pessoal	**Gerúndio**	**Pessoal**	**Gerúndio**
deitar		ter deitado	tendo deitado
deitares		teres deitado	
deitar	deitando	ter deitado	
deitarmos		termos deitado	
deitarem	**Particípio passado**	terem deitado	
Impessoal	deitado	**Impessoal**	
deitar		ter deitado	

Conjugação passiva		Conjugação reflexa		Conjugação pronominal	
INDICATIVO	**CONJUNTIVO**	**INDICATIVO**	**CONJUNTIVO**	**INDICATIVO**	**CONJUNTIVO**
Presente	**Presente** Presente	**Presente**	**Presente**	**Presente**	
sou deitado	seja deitado	deito-me	me deite	deito-o	o deite
és deitado	sejas deitado	deitas-te	te deites	deita-lo	o deites
é deitado	seja deitado	deita-se	se deite	deita-o	o deite
somos deitados	sejamos deitados	deitamo-nos	nos deitemos	deitamo-lo	o deitemos
são deitados	sejam deitados	deitam-se	se deitem	deitam-no	o deitem
Pretérito imperfeito	**Pretérito imperfeito**	**Pretérito imperfeito**	**Pretérito imperfeito**	**Pretérito imperfeito**	**Pretérito imperfeito**
era deitado	fosse deitado	deitava-se	me deitasse	deitava-o	o deitasse
eras deitado	fosses deitado	deitavas-te	te deitasses	deitava-lo	o deitasses
era deitado	fosse deitado	deitava-se	se deitasse	deitava-o	o deitasse
éramos deitados	fôssemos deitados	deitávamo-nos	nos deitássemos	deitávamo-lo	o deitássemos
eram deitados	fossem deitados	deitavam-se	se deitassem	deitavam-no	o deitassem
Pretérito perfeito	**Futuro**	**Pretérito perfeito**	**Futuro**	**Pretérito perfeito**	**Futuro**
fui deitado	for deitado	deitei-me	me deitar	deitei-o	o deitar
foste deitado	fores deitado	deitaste-te	te deitares	deitaste-o	o deitares
foi deitado	for deitado	deitou-se	se deitar	deitou-o	o deitar
fomos deitados	formos deitados	deitámo-nos	nos deitarmos	deitámo-lo	o deitarmos
foram deitados	forem deitados	deitaram-se	se deitarem	deitaram-no	o deitarem
Pretérito mais--que-perfeito		**Pretérito mais--que-perfeito**		**Pretérito mais--que-perfeito**	
fora deitado		deitara-se		deitara-o	
foras deitado		deitaras-te		deitara-lo	
fora deitado		deitara-se		deitara-o	
fôramos deitados		deitáramo-nos		deitáramo-lo	
foram deitados		deitaram-se		deitaram-no	
Futuro	**CONDICIONAL**	**Futuro**	**CONDICIONAL**	**Futuro**	**CONDICIONAL**
serei deitado	seria deitado	deitar-me-ei	deitar-me-ia	deitá-lo-ei	deitá-lo-ia
serás deitado	serias deitado	deitar-te-ias	deitar-te-ias	deitá-lo-ás	deitá-lo-ias
será deitado	seria deitado	deitar-se-ia	deitar-se-ia	deitá-lo-á	deitá-lo-ia
seremos deitados	seríamos deitados	deitar-nos-emos	deitar-nos-íamos	deitá-lo-emos	deitá-lo-íamos
serão deitados	seriam deitados	deitar-se-ão	deitar-se-iam	deitá-lo-ão	deitá-lo-iam
	IMPERATIVO		**IMPERATIVO**		**IMPERATIVO**
INFINITIVO	sê deitado	**INFINITIVO**	deita-te	**INFINITIVO**	deita-o
	seja deitado		deite-se		deite-o
Pessoal	sejam deitados	**Pessoal**	deitem-se	**Pessoal**	deitem-no
ser deitado		deitar-me		deitá-lo	
seres deitado	**OUTRAS FORMAS**	deitares-te	**OUTRAS FORMAS**	deitare-lo	**OUTRAS FORMAS**
ser deitado		deitar-se		deitá-lo	
sermos deitados	**Gerúndio**	deitarmo-nos	**Gerúndio**	deitarmo-lo	**Gerúndio**
serem deitados	sendo deitado	deitarem-se	deitando-se	deitarem-no	deitando-o
	Particípio passado		**Particípio passado**		**Particípio passado**
Impessoal		**Impessoal**		**Impessoal**	
ser deitado	sido deitado	deitar-se		deitá-lo	

2ª conjugação (-er)

ESCONDER

Conjugação activa–formas simples		Conjugação activa–formas compostas	
INDICATIVO	**CONJUNTIVO**	**INDICATIVO**	**CONJUNTIVO**
Presente	**Presente**		**Pretérito perfeito**
escondo	esconda		tenha escondido
escondes	escondas		tenhas escondido
esconde	esconda		tenha escondido
escondemos	escondamos		tenhamos escondido
escondem	escondam		tenham escondido
Pretérito imperfeito	**Pretérito imperfeito**		**Pretérito mais-**
escondia	escondesse		**-que-perfeito**
escondias	escondesses		tivesse escondido
escondia	escondesse		tivesses escondido
escondíamos	escondêssemos		tevesse escondido
escondiam	escondessem		tivéssemos escondido
Pretérito perfeito	**Futuro**	**Pretérito perfeito**	tivessem escondido
escondi	esconder	tenho escondido	**Futuro perfeito**
escondeste	esconderes	tens escondido	tiver escondido
escondeu	esconder	tem escondido	tiveres escondido
escondemos	escondermos	temos escondido	tiver escondido
esconderam	esconderem	têm escondido	tivermos escondido
Pretérito mais-		**Pretérito mais-**	tiverem escondido
-que-perfeito	**CONDICIONAL**	**-que-perfeito**	**CONDICIONAL**
escondera	esconderia	tinha escondido	**Perfeito**
esconderas	esconderias	tinhas escondido	teria escondido
escondera	esconderia	tinha escondido	terias escondido
escondêramos	esconderíamos	tínhamos escondido	teria escondido
esconderam	esconderiam	tinham escondido	teríamos escondido
Futuro	**IMPERATIVO**	**Futuro perfeito**	teriam escondido
esconderei		terei escondido	
esconderás	esconde	terás escondido	
esconderá	esconda	terá escondido	
esconderemos		teremos escondido	
esconderão	escondam	terão escondido	
INFINITIVO	**OUTRAS FORMAS**	**INFINITIVO**	**OUTRAS FORMAS**
Pessoal	**Gerúndio**	**Pessoal**	**Gerúndio**
esconder		ter escondido	tendo escondido
esconderes		teres escondido	
esconder	escondendo	ter escondido	
escondermos		termos escondido	
esconderem	**Particípio passado**	terem escondido	
Impessoal		**Impessoal**	
esconder	escondido	ter escondido	

Conjugação passiva		Conjugação reflexa		Conjugação pronominal	
INDICATIVO	**CONJUNTIVO**	**INDICATIVO**	**CONJUNTIVO**	**INDICATIVO**	**CONJUNTIVO**
Presente	**Presente**	**Presente**	**Presente**	**Presente**	**Presente**
sou escondido	seja escondido	escondo-me	me esconda	escondo-o	o esconda
és escondido	sejas escondido	escondes-te	te escondas	esconde-lo	o escondas
é escondido	seja escondido	esconde-se	se esconda	esconde-o	o esconda
somos escondidos	sejamos escondidos	escondemo-nos	nos escondamos	escondemo-lo	o escondamos
são escondidos	sejam escondidos	escondem-se	se escondam	escondem-no	o escondam
Pretérito imperfeito	**Pretérito imperfeito**	**Pretérito imperfeito**	**Pretérito imperfeito**	**Pretérito imperfeito**	**Pretérito imperfeito**
era escondido	fosse escondido	escondia-me	me escondesse	escondia-o	o escondesse
eras escondido	fosses escondido	escondias-te	te escondesses	escondia-lo	o escondesses
era escondido	fosse escondido	escondia-se	se escondesse	escondia-o	o escondesse
éramos escondidos	fôssemos escondidos	escondíamo-nos	nos escondêssemos	escondíamo-lo	o escondêssemos
eram escondidos	fossem escondidos	escondiam-se	se escondessem	escondiam-no	o escondessem
Pretérito perfeito	**Futuro**	**Pretérito perfeito**	**Futuro**	**Pretérito perfeito**	**Futuro**
fui escondido	for escondido	escondi-me	me esconder	escondi-o	o esconder
foste escondido	fores escondido	escondeste-te	te esconderes	escondeste-o	o esconderes
foi escondido	for escondido	escondeu-se	se esconder	escondeu-o	o esconder
fomos escondidos	formos escondidos	escondemo-nos	nos escondermos	escondemo-lo	o escondermos
foram escondidos	forem escondidos	esconderam-se	se esconder	esconderam-no	o esconderem
Pretérito mais--que-perfeito		**Pretérito mais--que-perfeito**		**Pretérito mais--que-perfeito**	
fora escondido		escondera-me		escondera-o	
foras escondido		esconderas-te		escondera-lo	
fora escondido		escondera-se		escondera-o	
fôramos escondidos		esconderamo-nos		escondêramo-lo	
foram escondidos		esconderam-se		esconderam-no	
Futuro	**CONDICIONAL**	**Futuro**	**CONDICIONAL**	**Futuro**	**CONDICIONAL**
serei escondido	seria escondido	esconder-me-ei	esconder-me-ia	escondê-lo-ei	escondê-lo-ia
serás escondido	serias escondido	esconder-te-ás	esconder-te-ias	escondê-lo-ás	escondê-lo-ias
será escondido	seria escondido	esconder-se-á	esconder-se-ia	escondê-lo-á	escondê-lo-ia
seremos escondidos	seríamos escondidos	esconder-nos-emos	esconder-nos-íamos	escondê-lo-emos	escondê-lo-íamos
serão escondidos	seriam escondidos	esconder-se-ão	esconder-se-iam	escondê-lo-ão	escondê-lo-iam
INFINITIVO	**IMPERATIVO** sê escondido	**INFINITIVO**	**IMPERATIVO** esconde-te	**INFINITIVO**	**IMPERATIVO** esconde-o
	seja escondido		esconda-se		esconda-o
Pessoal	sejam escondidos	**Pessoal**	escondam-se	**Pessoal**	escondam-no
ser escondido		esconder-me		escondê-lo	
seres escondido	**OUTRAS**	esconderes-te	**OUTRAS**	escondere-lo	**OUTRAS**
ser escondido	**FORMAS**	esconder-se	**FORMAS**	escondê-lo	**FORMAS**
sermos escondidos	**Gerúndio**	escondermo-nos	**Gerúndio**	escondermo-lo	**Gerúndio**
serem escondidos	sendo escondido	esconderem-se	escondendo-se	esconderem-no	escondendo-o
	Particípio passado		**Particípio passado**		**Particípio passado**
Impessoal	passado	**Impessoal**	passado	**Impessoal**	passado
ser	sido escondido	esconder-se	escondê-lo		escondê-lo

3ª conjugação (-ir)

DEMITIR

Conjugação activa–formas simples		Conjugação activa–formas compostas	
INDICATIVO	**CONJUNTIVO**	**INDICATIVO**	**CONJUNTIVO**

Conjugação activa–formas simples

INDICATIVO	CONJUNTIVO
Presente	**Presente**
demito	demita
demites	demitas
demite	demita
demitimos	demitamos
demitem	demitam
Pretérito imperfeito	**Pretérito imperfeito**
demitia	demitisse
demitias	demitisses
demitia	demitisse
demitíamos	demitíssemos
demitiam	demitissem
Pretérito perfeito	**Futuro**
demiti	demitir
demitiste	demitires
demitiu	demitir
demitimos	demitirmos
demitiram	demitirem
Pretérito mais--que-perfeito	**CONDICIONAL**
demitira	demitira
demitiras	demitirias
demitira	demitiria
demitíramos	demitiríamos
demitiram	demitiriam
Futuro	**IMPERATIVO**
demitirei	
demitirás	demites
demitirá	demita
demitiremos	
demitirão	demitam
INFINITIVO	**OUTRAS FORMAS**
Pessoal	**Gerúndio**
demitir	
demitires	
demitir	demitindo
demitirmos	
demitirem	**Particípio passado**
Impessoal	demitido
demitir	

Conjugação activa–formas compostas

INDICATIVO		CONJUNTIVO	
		Pretérito perfeito	
		tenha	demitido
		tenhas	demitido
		tenha	demitido
		tenhamos	demitido
		tenham	demitido
		Pretérito mais--que-perfeito	
		tivesse	demitido
		tivesses	demitido
		tivesse	demitido
		tivéssemos	demitido
Pretérito perfeito		tivessem	demitido
tenho	demitido	**Futuro perfeito**	
tens	demitido	tiver	demitido
tem	demitido	tiveres	demitido
temos	demitido	tiver	demitido
têm	demitido	tivermos	demitido
Pretérito mais--que-perfeito		tiverem	demitido
tinha	demitido	**CONDICIONAL**	
tinhas	demitido	**Perfeito**	
tinha	demitido	teria	demitido
tínhamos	demitido	terias	demitido
tinham	demitido	teria	demitido
Futuro perfeito		teríamos	demitido
terei	demitido	teriam	demitido
terás	demitido		
terá	demitido		
teremos	demitido		
terão	demitido		
INFINITIVO		**OUTRAS FORMAS**	
Pessoal		**Gerúndio**	
ter	demitido	tendo	demitido
teres	demitido		
ter	demitido		
termos	demitido		
terem	demitido		
Impessoal			
ter demitido			

Conjugação passiva		Conjugação reflexa		Conjugação pronominal	
INDICATIVO	**CONJUNTIVO**	**INDICATIVO**	**CONJUNTIVO**	**INDICATIVO**	**CONJUNTIVO**
Presente	**Presente**	**Presente**	**Presente**	**Presente**	**Presente**
sou demitido	seja demitido	demito-me	me demita	demito-o	o demita
és demitido	sejas demitido	demites-te	te demitas	demite-lo	o demitas
é demitido	seja demitido	demite-se	se demita	demite-o	o demita
somos demitidos	sejamos demitidos	demitimo-nos	nos demitamos	demitimo-lo	o demitamos
são demitidos	sejam demitidos	demitem-se	se demitam	demitem-no	o demitam
Pretérito imperfeito	**Pretérito imperfeito**	**Pretérito imperfeito**	**Pretérito imperfeito**	**Pretérito imperfeito**	**Pretérito imperfeito**
era demitido	fosse demitido	demitia-me	me demitisse	demitia-o	o demitisse
eras demitido	fosses demitido	demitias-te	te demitisses	demitia-lo	o demitisses
era demitido	fosse demitido	demitia-se	se demitisse	demitia-o	o demitisse
éramos demitidos	fôssemos demitidos	demitíamo-nos	nos demitíssemos	demitíamo-lo	o demitíssemos
eram demitidos	fossem demitidos	demitiam-se	se demitissem	demitiam-no	o demitissem
Pretérito perfeito	**Futuro**	**Pretérito perfeito**	**Futuro**	**Pretérito perfeito**	**Futuro**
fui demitido	for demitido	demiti-me	me demitir	demiti-o	o demitir
foste demitido	fores demitido	demitiste-te	te demitires	demitiste-o	o demitires
foi demitido	for demitido	demitiu-se	se demitir	demitiu-o	o demitir
fomos demitidos	formos demitidos	demitimo-nos	nos demitirmos	demitimo-lo	o demitirmos
foram demitidos	forem demitidos	demitiam-se	se demitirem	demitiram-no	o demitirem
Pretérito mais--que-perfeito		**Pretérito mais--que-perfeito**		**Pretérito mais--que-perfeito**	
fora demitido		demitira-me		demitira-o	
foras demitido		demitiras-te		demitira-lo	
fora demitido		demitira-se		demitira-o	
fôramos demitidos		demitíramo-nos		demitíramo-lo	
foram demitidos		demitiram-se		demitiram-no	
Futuro	**CONDICIONAL**	**Futuro**	**CONDICIONAL**	**Futuro**	**CONDICIONAL**
serei demitido	seria demitido	demitir-me-ei	demitir-me-ia	demiti-lo-ei	demiti-lo-ia
serás demitido	serias demitido	demitir-te-ás	demitir-te-ias	demiti-lo-ás	demiti-lo-ias
será demitido	seria demitido	demitir-se-á	demitir-se-ia	demiti-lo-á	demiti-lo-ia
seremos demitidos	seríamos demitidos	demitir-nos-emos	demitir-nos-íamos	demiti-lo-emos	demiti-lo-íamos
serão demitidos	seriam demitidos	demitir-se-ão	demitir-se-iam	demiti-lo-ão	demiti-lo-iam
INFINITIVO	**IMPERATIVO**	**INFINITIVO**	**IMPERATIVO**	**INFINITIVO**	**IMPERATIVO**
	sê demitido		demite-te		demite-o
	seja demitido		demita-se		demita-o
Pessoal	sejam demitidos	**Pessoal**	demitam-se	**Pessoal**	demitam-no
ser demitido		demitir-me		demiti-lo	
seres demitido	**OUTRAS FORMAS**	demitires-te	**OUTRAS FORMAS**	demitire-lo	**OUTRAS FORMAS**
ser demitido		demitir-se		demiti-lo	
sermos demitidos	**Gerúndio**	demitirmo-nos	**Gerúndio**	demitirmo-lo	**Gerúndio**
serem demitidos	sendo demitido	demitirem-se	demitindo-se	demitirem-no	demitindo-o
	Particípio passado		**Particípio passado**		**Particípio passado**
Impessoal		**Impessoal**		**Impessoal**	
ser demitido	sido demitido	demitir-se		demiti-lo	

Apêndice 4 - B

VERBOS IRREGULARES

VERBOS AUXILIARES (*)

ESTAR	IR	SER	TER	ESTAR	IR	SER	TER
INDICATIVO				**CONJUNTIVO**			
Presente				**Presente**			
estou	vou	sou	tenho	esteja	vá	seja	tenha
estás	vais	és	tens	estejas	vás	sejas	tenhas
está	vai	é	tem	esteja	vá	seja	tenha
estamos	vamos	somos	temos	estejamos	vamos	sejamos	tenhamos
estão	vão	são	têm	estejam	vão	sejam	tenham
Pretérito imperfeito				**Pretérito imperfeito**			
estava	ia	era	tinha	estivesse	fosse	fosse	tivesse
estavas	ias	eras	tinhas	estivesses	fosses	fosses	tivesses
estava	ia	era	tinha	estivesse	fosse	fosse	tivesse
estávamos	íamos	éramos	tínhamos	estivéssemos	fôssemos	fôssemos	tivéssemos
estavam	iam	eram	tinham	estivessem	fossem	fossem	tivessem
Pretérito perfeito simples				**Futuro**			
estive	fui	fui	tive	estiver	for	for	tiver
estiveste	foste	foste	tiveste	estiveres	fores	fores	tiveres
esteve	foi	foi	teve	estiver	for	for	tiver
estivemos	fomos	fomos	tivemos	estivermos	formos	formos	tivermos
estiveram	foram	foram	tiveram	estiverem	forem	forem	tiverem
Pretérito-mais-que-perfeito				**IMPERATIVO**			
estivera	fora	fora	tivera				
estiveras	foras	foras	tiveras	está	vai	sê	tem
estivera	fora	fora	tivera	esteja	vá	seja	tenha
estivéramos	fôramos	fôramos	tivéramos				
estiveram	foram	foram	tiveram	estejam	vão	sejam	tenham
				INFINITIVO			
Futuro				**Pessoal**			
estarei	irei	serei	terei	estar	ir	ser	ter
estarás	irás	serás	terás	estares	ires	seres	teres
estará	irá	será	terá	estar	ir	ser	ter
estaremos	iremos	seremos	teremos	estarmos	irmos	sermos	termos
estarão	irão	serão	terão	estarem	irem	serem	terem
				Impessoal			
				estar	ir	ser	ter
CONDICIONAL				**OUTRAS FORMAS**			
estaria	iria	seria	teria	**Gerúndio**			
estarias	irias	serias	terias	estando	indo	sendo	tendo
estaria	iria	seria	teria				
estaríamos	iríamos	seríamos	teríamos	**Particípio passado**			
estariam	iriam	seriam	teriam	estado	ido	sido	tido

(*) auxiliares da voz passiva: **ser** e **estar**
   auxiliares da conjugação perifrástica: **estar** e **ir**
   auxiliar dos tempos compostos: **ter**

CHAVE DOS EXERCÍCIOS

Unidade 1

1.1.

1. tenha
2. venha
3. veja
4. compremos
5. faças
6. peça
7. abram
8. pague

9. sigam
10. ponha
11. traga
12. vistas
13. fique
14. dispam
15. ouça
16. perca

17. consigamos
18. leiam
19. durma
20. beba
21. digam
22. saias
23. possa
24. trabalhemos

1.2.

2. tenha cuidado
3. ouçam
4. sigam as instruções
5. venha cá a casa
6. comece mais cedo

7. veja a Ana hoje
8. comas tanto
9. leiam o artigo
10. paguem em cheque
11. ponhas o casaco

12. façam barulho
13. sinta frio
14. levemos uns amigos
15. peças as chaves ao porteiro

1.3.

2. É possível que encontres lá o Pedro.
3. É preciso que ele invista melhor o dinheiro.
4. É necessário que a senhora faça dieta.
5. É possível que consigas o emprego.
6. É necessário que estudes mais.
7. É provável que eu faça alguns erros.
8. É provável que eu fique em casa.

9. É preciso que tenhas cuidado com a alimentação.
10. É necessário que ela descanse mais.
11. É possível que me venham visitar.
12. É provável que não te sintas à vontade.
13. É possível que seja atendido às 17 h.
14. É natural que estejas cansadíssimo.

Unidade 2

2.1.

1. queira
2. saibamos
3. esteja
4. dê
5. sejam
6. vás
7. seja
8. haja

9. vamos
10. saiba
11. queira
12. estejamos
13. dê
14. estejam
15. saibas
16. seja

17. vá
18. queiram
19. vá
20. sejas
21. esteja
22. queiramos
23. dêem
24. saiba

2.2.

1. encontre/esteja
2. te esqueças
3. façam
4. possa
5. seja

6. vá
7. esteja
8. tenha
9. acabem
10. saibam

11. haja
12. se despachem
13. pergunte
14. cheguem
15. peça

2.3.

2. não partam nada.
3. ele saiba bem inglês, não foi admitido.
4. não haja bilhetes para o teatro, vamos a minha casa.
5. a senhora abra uma conta à ordem, recebe o cartão multibanco.
6. fale com ele primeiro, não posso tirar conclusões.
7. ele venha, encomendamos mais comida.
8. não o conheça pessoalmente, falamos muito ao telefone.
9. não consigas encontrar a casa.
10. estejas completamente bom, não deves sair.
11. me ofereçam as viagens, não trabalho mais com essa agência.
12. guies com cuidado.

Unidade 3

3.1.

2. saiba tantas línguas
3. possa ficar
4. dêem todas as informações
5. esqueças o assunto
6. se sinta bem

7. esteja melhor
8. venhas comigo
9. façam barulho
10. devolva o dinheiro
11. sejas um bom aluno

12. haja algum problema
13. telefone mais tarde
14. apanhes um táxi
15. jantem connosco
16. consultes o médico

3.2.

1. chegue
2. consiga
3. vençam
4. venham
5. tenham
6. ajudes

7. vejas
8. vá
9. diga
10. se divirtam
11. saiba

12. durmas/estejas
13. acredite
14. tragam
15. mintam
16. possa

3.3.

2. se lembrem
3. esteja
4. consigas

5. haja
6. aceite

7. saiba
8. venham

Unidade 4

4.1.

1. fiquemos em casa amanhã.
2. não esteja ninguém no escritório.
3. já não os veja hoje.

4. Talvez ainda haja bilhetes para o concerto.
5. Talvez vá jantar fora.
6. Talvez faça a festa no próximo sábado.

4.2.

1. tenha de trabalhar neste fim-de-semana.
2. eles queiram vir connosco.
3. consiga falar com ele amanhã.

4. eles possam vir connosco.
5. os veja hoje à noite.

4.3.

2. não estejam
3. não saiba
4. não haja

5. aceite
6. saiba

4.4.

1. passe
2. corra
3. dê

4. ganhe
5. venha
6. sejam

Unidade 5

5.1.

1. coma
2. durma
3. tente
4. sejam
5. diga

6. faça
7. sejam
8. ganhem
9. seja
10. sinta

11. poupem
12. peças/peça/peçam
13. seja
14. faça
15. seja

5.2.

2. chores, não te faço a vontade.
3. mais que pense, não consigo lembrar-me do nome.
4. Por muito longa que seja a viagem, prefiro ir e vir no mesmo dia.
5. Por pouca experiência que tenha, sei trabalhar com o computador.
6. Por mais que corra, já não apanha o comboio.
7. Por muito doente que me sinta, vou trabalhar.
8. Por muito cheio que esteja o restaurante, não nos importamos de esperar.
9. Por mais que poupe, nunca tenho dinheiro.
10. Por muito famosa que ela seja, continua a ser uma pessoa simples.
11. Por muito que ele se esforce, não consegue aprender línguas.
12. Por muito esperto que o miúdo seja, vão descobrir que foi ele.

Unidade 6

6.1.

1. seja	6. fale/ande	11. apaga
2. têm	7. sirvam	12. está
3. fica	8. tem	13. sejam
4. tenha	9. coma	14. conheçam
5. tira	10. saiba	15. fale

6.2.

2. Ela prefere calças que sejam justas.
3. Há alguém que tenha experiência em computadores?
4. Prefiro morar numa casa que seja fora da cidade.
5. Eles querem contratar uma empregada que tenha boas referências.
6. Vamos a um restaurante que seja perto da praia.

6.3.

1. dê	4. vá
2. possa	5. esteja
3. veja	

Unidade 7

7.1.

1. venha	6. telefone	11. esteja
2. seja	7. cheguem	12. dêem
3. vão	8. seja	13. sejam
4. venham	9. queira	14. responda
5. digas	10. cases	15. faças

7.2.

1. gostes	5. vamos/fiquemos	8. saibas
2. chova/faça	6. venhas/vás	9. vista/ponha
3. estejam	7. se esforce	10. me deite
4. queiram		

7.3.

2. Qualquer que seja a prenda, acho que vou gostar.
3. O que quer que digas, agora não tem importância.
4. Quem quer que faça isso, tem de fazê-lo bem.
5. Aonde quer que vão, encontram-se sempre.
6. A quem quer que perguntes, a resposta será a mesma.

7.4.

2. Quer cheguemos a horas quer nos atrasemos, o chefe nunca está satisfeito.
3. Quer haja aulas quer não, tenho de ir à faculdade.
4. Quer perca quer ganhe, o João faz o totobola todas as semanas.
5. Quer venhas quer não, estou em casa o dia todo.
6. Quer esteja doente quer não, tem de ir trabalhar.

Unidade 8

8.1.
1. vocês saibam a resposta.
2. seja necessário contratar mais pessoal.
3. o filho dela já tenha 10 anos.
4. eles venham a horas.
5. haja muito trânsito a esta hora.
6. tenhas razão.
7. sejam horas de saires.
8. o tempo vá ficar bom.
9. estejas doente.
10. tragam prendas para todos.
11. consigas passar no exame.

8.2.
2. Não penso que a resposta esteja correcta.
3. Não me parece que essa ideia seja boa.
4. Não creio que vá estar bom tempo.
5. Não julgo que eles cheguem a horas.
6. Não acho que ela goste de música clássica.

8.3.
1. ele tenha muitos amigos.
2. eles sejam riquíssimos.
3. eu faça o trabalho sozinho.
4. estejas mais gordo.
5. o João venha amanhã.
6. lá nos dêem todas as informações.
7. eles saibam do assunto.
8. ele consiga bater o recorde.
9. a Ana queira ficar em casa.
10. não tenha tempo.

Unidade 9

9.1.
1. há/estejam
2. é/consegue/quer
3. concordam/digo
4. paguem/mudo
5. treinem/esteja
6. sabem
7. conheça/vai
8. queiras
9. tenha
10. vale/são
11. tenhas/dizes/se interessa
12. se atrasem/está
13. possas
14. traga/ficam
15. fale/faz
16. levo/encontro
17. estão
18. aceitem
19. pense/consegue
20. corra

9.2.
1. quer
2. tenham
3. vejam
4. vêem
5. entre
6. cai
7. ficam
8. fiquem

Unidade 10

10.1.
2. tivesse dinheiro!
3. conseguisse aprender inglês!
4. pudesse ser bailarina!
5. se preocupasse tanto!
6. ela viesse connosco!
7. deixasse de fumar!
8. vivêssemos mais perto!
9. estivesses com tanta febre!
10. fosse mais nova!

10.2.
2. fosse filho deles.
3. fosse uma criança.
4. soubesse tudo.
5. eu não existisse.
6. nascesse das árvores.

10.3.
1. conhecesse
2. tivesse
3. fosse
4. fizesses
5. estivéssemos
6. gostasse

Unidade 11

11.1.
2. o quarto estivesse arrumado, eu conseguia encontrar as minhas coisas.
3. o elevador funcionasse, não tínhamos de descer os 9 andares a pé.
4. o anel fosse de ouro, valia muito.
5. lesses mais, não davas tantos erros.
6. vocês não estivessem sempre a falar durante as aulas, aprendiam mais.

11.2.
2. a conhecesse, ia falar com ela.
3. houvesse ovos, fazia o bolo.
4. soubesse alemão, respondia ao anúncio.
5. não fizesses anos hoje, zangava-me contigo.
6. tivesses razão, pedia-te desculpa.

11.3.
2. estivesse
3. tivessem
4. fosses
5. ganhasse
6. partíssemos
7. soubesse
8. pagasse
9. dessem
10. trouxessem
11. visse

11.4.
1. me oferecessem 2 empregos ..., aceitaria o ...
2. encontrasse uma carteira na rua com ..., entregá-la-ia à polícia.
3. Se, ao chegar a casa, me apercebesse que estava a ser assaltada, telefonaria para a polícia.
4. Se um filho ou filha minha quisesse casar com ..., eu deixaria/não deixaria.
5. Se eu visse alguém a roubar num supermercado, chamaria a polícia.

Unidade 12

12.1.

A
- tivesse
- houvesse
- estudasse
- pagassem

B
- pedissem
- emprestasse
- fizessem
- dessem

12.2.
3. Ele achava óptimo que os filhos praticassem desporto na escola.
4. Talvez pudesse ir ao cinema com vocês.
5. Eles esperavam que não fosse nada de grave.
6. Podia ser que o novo método desse resultado.
7. Tive pena que ela não estivesse cá.
8. Duvidava que eles trouxessem os documentos bem preenchidos.
9. Mesmo que fosse caro, eu não me importava.
10. Queria que fosses ao supermercado buscar leite.
11. Caso houvesse muita gente, voltavas noutro dia.
12. Por muito que lhe pedissem, não ia mudar a sua opinião.
13. Quer quisesses quer não, tinhas de contar o que se passou.
14. Preferia mudar para uma escola onde houvesse menos barulho.
15. Ia apanhar um táxi para que não chegasse atrasado.

12.3.
1. ... apetecia ... era ...
... devesse ... pudéssemos ... conseguíssemos ... ficava ... pensava ... quisesse ... custasse ... tinha ... gostasse
... tinha ... estivesse ... voltava ... tomava ... fosse ...

Unidade 13

13.1.

1. for
2. falarmos
3. puser
4. souberem
5. venderes
6. vir
7. for
8. trouxerem
9. partir
10. quiserem
11. lermos
12. deres
13. pedir
14. viermos
15. puderes
16. disser
17. dormirem
18. tiver
19. estiver
20. puserem
21. vierem
22. formos
23. trouxer
24. fores

13.2.

2. houver
3. mudarmos
4. errares
5. puseres
6. quiserem
7. chegar
8. sentir/estiver/tiver ...
9. for
10. quiserem
11. vierem
12. for
13. terminarem
14. estiverem
15. for

13.3.

2. fores ao café.
3. o sinal estiver vermelho.
4. vir as fotografias.
5. fizeres anos.

13.4.

2. Se for no comboio das 21:00, chego lá por volta da meia-noite.
3. Logo que tivermos tempo, vamos visitar-te.
4. Quando estiver melhor, posso participar do jogo.
5. Assim que puseres os óculos, vês melhor.

Unidade 14

14.1.

1. forem
2. forem
3. encontrar
4. quiseres
5. estiver
6. puder
7. ajudarem
8. tiver
9. mandarmos
10. disser

14.2.

2. Sentem-se onde eu indicar.
3. a) Só quem tiver muita paciência consegue resolver esse enigma.
   b) Só aqueles que tiverem muita paciência conseguem resolver esse enigma.
4. a) Os que chegarem primeiro poderão escolher os melhores lugares.
   b) Quem chegar primeiro poderá escolher os melhores lugares.
5. a) Quem se candidatar ao lugar terá de se submeter a uma entrevista.
   b) Todos aqueles que se candidatarem ao lugar terão de se submeter a uma entrevista.
6. a) Aqueles que estiverem interessados devem inscrever-se até ao fim do mês.
   b) Quem estiver interessado deve inscrever-se até ao fim do mês.

14.3.

2. O professor dará um prémio a quem tiver melhores notas.
3. Podem fazer um desenho sobre o tema que quiserem.
4. Vou gravar tudo o que disserem.
5. Vou aonde vocês forem.

Unidade 15

15.1.

1. disseres
2. Venha
3. for
4. Fale
5. Cheguem
6. trouxeres

15.2.

2. Vista o que vestir, ...
3. Estejas onde estiveres, ...
4. Digas o que disseres, ...

5. Seja para o que for, ...
6. Vás por onde fores, ...

15.3.

1. Haja/houver
2. Perguntes/perguntares
3. Custe/custar
4. Estejam/estiverem
5. Venham/vierem
6. Sejam/forem

7. Ganhe/ganhar
8. Coma/comer
9. Vás/fores
10. Fale/falar
11. Ouças/ouvires

Unidade 16

16.1.

1. Se não puseres a carne no frigorífico, estraga-se.
2. Se passar no exame, tenho hipótese de fazer um estágio em Inglaterra.
3. Se nos levantarmos cedo, podemos apanhar o comboio das 8:00.
4. Se não parares de comer chocolate, vais ficar com dores de barriga.
5. Se for promovido, terei um gabinete novo.

16.2.

1. tiver
2. ficarei/vier
3. abre-se
4. chegarem
5. precisares

6. me sentir
7. puseres
8. se despacharem
9. for
10. estiver

16.3.

2. Se ele for seleccionado para o jogo, ganhamos com certeza.
3. Se pedires um aumento, dão-to.
4. Se esse quadro for valioso, vendemo-lo.
5. Se chegar mais cedo, ajudo-te com os trabalhos de casa.
6. Se a festa acabar às tantas, vou-me embora mais cedo.
7. Se o gatinho morrer, o João vai ficar muito triste.
8. Se fizeres o exame em Julho, terás mais tempo para estudar.
9. Se não vierem no comboio das 20:00, vou buscá-los à estação.
10. Se (eu) amanhã não estiver no escritório, adiamos a reunião para quarta-feira.

Unidade 17

17.1.

1. tenha saído
2. tenhas dito

3. tenham ido
4. tenhas lido

5. tenham tomado

17.2.

2. tenha ido
3. tenha ficado

4. se tenham arranjado
5. tenha ofendido

17.3.

1. se tiverem mudado
2. tiveres feito

3. tiverem atingido
4. tivermos recebido

5. tiverem visto/se tiverem reunido

17.4.

2. tivermos visto o museu, vamos visitar o castelo.
3. tiver acabado a reunião, vamos todos ao café.
4. tivermos feito as contas, saberemos quanto cabe a cada um.
5. tiveres completado o 9º ano, poderás optar por uma área profissional.
6. tiver recebido o dinheiro amanhã, vou passar o fim-de-semana fora.

Unidade 18

18.1.

2. Se não tivesse tido a ajuda do polícia, não tinha encontrado a rua.
3. Se tivesses tido calma, tinhas resolvido o problema.
4. Se tivesse havido trânsito, nunca mais tínhamos chegado.
5. Se tivessem apanhado um táxi, tinham demorado menos.
6. Se tivesse posto natas, o prato tinha ficado mais sabororso.
7. Se tivéssemos tido mais tempo, teríamos conhecido melhor a cidade.
8. Se me tivessem oferecido outras condições, tinha aceite o trabalho.
9. Se não tivesse estudado línguas, não tinha conseguido o emprego.
10. Se não tivesse havido uma tradução, não teria compreendido nada.

18.2.

2. não tivesse pintado o cabelo.
3. tivesse ido ao dentista.
4. tivéssemos visto o filme.
5. tivesse comido menos.

6. não tivesse adormecido.
7. os tivesse comprado na semana passada.
8. tivesse falado com eles.

Unidade 19

19.1.

1. esteja
3. passe
5. haja
7. fique
9. goste

2. estivesse
4. passasse
6. houvesse
8. ficasse
10. gostasse

19.2.

1. Oxalá esteja bom tempo!
   Oxalá estivesse bom tempo!
2. Tomara que vá comigo à festa!

3. Deus queira que consigam!
4. Oxalá conseguissem, ...
5. Tomara que fosse aceite!

Unidade 20

20.1.

1. tenha corrido
   tivesse sido aprovada
2. tivessem optado
   tenham tomado
3. tivesse havido
   tenha tido

4. tenha ganho
   tenha vencido
5. tivessem morrido
   se tivessem salvado

20.2.

1. Oxalá tenha sido escolhida!
2. Tomara que estivesse melhor!

3. Tomara que o médico não se tenha enganado!
4. Oxalá estivesse melhor!

Unidade 21

21.1.

1. sentira
2. fizera
3. dera

4. tivera/fora
5. escrevera

21.2.

1. lera; percebera; chegara; dissera
2. dera; garantira; propusera
3. fora; houvera; tivera; fizera

Unidade 22

22.1.

    1. terá ressuscitado; terá morrido; terá bebido; terá sentido; terá chamado; terão garantido; terão ouvido; terá transportado; terá ficado

    2. terá ferido; terá ocorrido; terá disparado

22.2.

    2. Quem o terá partido?

    3. Quem a terá escrito?

    4. Já terão feito os trabalhos de casa?

    5. Terá ficado doente?

    6. Onde os terei posto?

    7. Terá gostado?

22.3.

    1. teremos acabado

    2. terá nascido

    3. terá feito

    4. terei terminado

    5. terá aterrado

    6. terão ido

Unidade 23

23.1. teriam utilizado; teria sido furtada; teria ficado; teria saído; teria ameaçado; teria encostado

23.2.

    2. Qual teria sido o resultado das eleições?

    3. Quem teria ganho o concurso?

    4. Porque é que ele teria ficado zangado comigo?

    5. Eles já teriam chegado?

    6. Quais teriam sido as causas do acidente?

    7. Porque é que o João se teria despedido?

    8. O que é que teria acontecido ontem à noite?

    9. Quem teria sido a pessoa responsável por essa decisão?

    10. Como é que os ladrões teriam entrado?

    11. A resposta teria sido positiva?

23.3.

    1. não teria sido assaltado.

    2. não teríamos saído.

    3. teríamos ido ao cinema.

    4. teriam apanhado o comboio das 20:00.

    5. terias sido reembolsado.

Unidade 24

24.1.

    1. Falar-lhe-emos

    2. Dar-se-ão

    3. Visitá-lo-ei

    4. Trar-te-ão

    5. Sentir-me-ia

    6. Convidá-los-ia

    7. Interessar-lhe-ia

    8. Ser-lhe-ão

    9. Recebê-la-á

    10. Encontrar-nos-emos

24.2.
1. Ajudá-lo-emos
2. Demitir-se-á
3. Pedir-te-ei
4. Far-se-á
5. Cumprimentá-la-ia
6. Ter-vos-ia mentido
7. Ter-lhes-ia escrito
8. Ter-se-iam perdido
9. Ter-me-ia casado
10. Reconhecê-la-ia
11. Ver-nos-emos mais vezes.
12. Opor-me-ia
13. Contactá-lo-ão amanhã, com certeza.
14. Sentir-te-ias
15. Dar-se-ão

Unidade 25

25.1.

O locutor disse que, após quatro anos de seca, tinham chegado finalmente as chuvas do século e referiu que a água tinha subido nos rios, encharcado o Alentejo e até dava para encher o Alqueva. Mencionou ainda que, dos prejuízos da seca, se tinha passado para o das cheias, num Inverno em que tinha chovido diariamente e as previsões apontavam para que continuasse a chover nos meses seguintes.

25.2.

Barbeiro: Tenho um segredo, mas não posso revelá-lo a ninguém. Se não o disser, morrerei e, se o disser, o rei mandar-me-á matar.
Padre: Vai a um vale, faz uma cova na terra e diz o segredo tantas vezes até ficares aliviado desse peso. Depois, tapa a cova com terra.
(...)
Barbeiro: Fiz o que me disse e, depois de ter tapado a cova, voltei para casa muito descansado.

25.3.
1. Voltando-se para o Luís, a Paula disse-lhe que tinha sido chamada para uma entrevista numa multinacional. A entrevista tinha ficado marcada para quarta-feira da semana seguinte.
2. O Luís respondeu que isso eram óptimas notícias e deu-lhe os parabéns. Esperava que tudo corresse bem e que ela fosse admitida.
3. A Paula disse que, se conseguisse o emprego, poderia realizar algumas das coisas com que sempre tinha sonhado, mas acrescentou que o melhor era não se entusiasmar antes de tempo.

Unidade 26

26.1.
1. quiseres; queres
2. fizer; faz
3. chegam; cheguem; chegarem
4. vêm; vierem
5. viram; tiverem visto
6. consigo; conseguisse
7. trazia; trouxesse
8. tens; tiveres
9. ia; vá; for
10. estão; estiverem

26.2.
1. foram
2. pus
3. for
4. vier
5. digas/disseres
6. parte
7. quiseres
8. têm
9. tivesse encontrado
10. vires

Unidade 27

27.1.

2. Tendo embatido no muro, a carrinha ficou muito danificada.
3. Tendo sido levado para o hospital, diagnosticaram-lhe ...
4. Tendo ficado sob observação, teve alta passado uma semana.
5. Não se sentindo completamente recuperado, resolveu tirar uns ...
6. Tendo apanhado um susto, decidiu que o melhor era não ir a ...
7. ... "Indo de comboio ..."

27.2.

1. Indo a Braga, vou visitar-vos.
2. Tendo já acabado os exames, o João partiu ontem para o Algarve.
3. Apanhando um táxi, pode ser que não chegues atrasado.
4. Tendo esclarecido a situação, não teria havido tantos problemas.
5. Tendo já visto essa peça de teatro, não me importo de ficar a...
6. Em acabando o estágio, vou concorrer para fora de Lisboa.
7. Tendo pensado melhor, não teria aceite o trabalho.
8. Vindo pela estrada nova, tenham cuidado com as obras.
9. Não lhes tendo dado autorização, ficaram muito sentidos ...
10. Trazendo as crianças, avisem-me para eu preparar os quartos.

27.3.

1. Tendo febre, ...
2. Tendo ficado sem dinheiro, ...
3. Comprando uma dúzia, ...
4. Tendo chegado a casa, ...
5. Tendo estudado, ...
6. Estando a chover, ...

Unidade 28

28.1.

1. terem acabado
2. ter passado
3. terem tido
4. termos conseguido
5. teres encontrado
6. se terem casado
7. teres visto
8. terem sido convidados
9. ter sido admitido
10. teres comprado

28.2.

1. não poderes vir, telefona-me.
2. já terem sido apresentados no congresso anterior.
3. ter desligado o gás quando saí de casa.
4. não terem podido assistir à estreia.
5. terem muito dinheiro, são pessoas discretas.
6. nós termos chegado.
7. o tempo ter estado péssimo, não adiaram as provas de atletismo.
8. ter tido a melhor nota.
9. teres posto o casaco.
10. o médico vir.
11. eles pensarem de outra maneira.
12. vir falar comigo.
13. se terem despedido.
14. não voltarem a repetir tais erros.
15. os convidados chegarem.

Unidade 29

29.1.

2. Quanto menos souberem, melhor para eles.
3. Quanto mais tempo estiver à espera, mais impaciente fica.
4. Quanto melhor o conheço, mais gosto dele.
5. Quanto menos comeres, mais fraca te sentes.
6. Quanto mais exercícios fizer, mais depressa recupero a linha.
7. Quanto pior for o serviço, mais clientes perderão.
8. Quanto mais frio está o tempo, mais me apetece ficar em casa.

29.2.
2. Quanto menos cuidado as pessoas tiverem com o ambiente, pior será para todos.
3. Quanto mais eles treinarem, melhores resultados obterão.
4. Quanto mais depressa acabarem o trabalho, mais cedo poderão sair.
5. Quanto menos movimento há à noite, mais perigoso é andar na rua.
6. Quanto mais calor está, mais sede tenho.

29.3.
2. maior..., melhor...
3. mais..., menos...
4. piores..., mais...

5. mais..., pior...
6. mais..., mais...

Unidade 30

30.1.
1. Como é que te estás a dar com o teu novo chefe?
2. Tentámos tudo e não deu em nada.
3. Esse produto não dá para soalhos de madeira.
4. Não dou para ficar em casa sem fazer nada.
5. Roubaram a mala à senhora e as pessoas que estavam ao pé fingiram não ter dado por nada.
6. Enquanto não der com a solução, não descanso.
7. Tens uma vista maravilhosa. A tua casa dá para os jardins do Palácio.

30.2.
1. Portugal fica na zona mais ocidental da Europa.
2. Como já não querias aquela bicicleta velha, arranjei-a e fiquei com ela.
3. O António ficou de vir ter connosco à porta do cinema.
4. Isto não fica por aqui! Amanhã quero voltar a este assunto.
5. Se não houver consenso, a votação fica para amanhã.
6. Chegámos tão cansados que não tive coragem de arrumar nada. As malas ficaram por desfazer.
7. Ninguém responde, o que é muito estranho, pois eles tinham dito que ficavam em casa.
8. O anel da minha avó ficou para mim.

30.3.
1. O que se terá passado?
2. Finalmente passou a chefe de secção.
3. Todos os alunos com uma disciplina em atraso passarão automaticamente para o ano seguinte.
4. Se já tivesses passado o quarto do bebé para os fundos, ...
5. ... Passas por mal educado.

30.4.

1. por	6. de	11. por	16. com
2. com	7. com	12. com	17. em
3. para	8. de	13. para	18. do
4. com	9. para	14. no	19. com
5. da	10. por	15. por	20. no/por

Unidade 31

31.1

A	B	C	D
1. se refez	1. despediram	1. previa	1. provindo
2. desfizeram	2. impedido	2. rever	2. advir
3. rarefaz-se	3. desimpedir	3. revimos	3. intervenhas
4. refazeres	4. foi expedida	4. previa	4. convém-me
5. desfeito	5. impedindo		
6. satisfazia	6. impedem		
7. perfaz	7. despeçam-se		
8. refazer			

Unidade 32

32.1

A
1. supunha
2. se opôs
3. dispor
4. dispus-me
5. compôs
6. compôs
7. transpusesse
8. compõe
9. expostos
10. se expõe
11. se impusesse
12. impor
13. supus
14. compõe-se
15. expus

B
1. detenho
2. entreteve-se
3. abstenho-me
4. manteve
5. me contive
6. sustém
7. mantinha
8. obteve
9. contêm
10. foram detidos

Unidade 33

33.1.
1. Foram tomar
2. Vou deixar
3. Vou desligar; vai interromper
4. Foi...levantar
5. Fui fazer
6. Vou...pôr
7. iam encontrar

33.2.
1. vá preparando
2. ir descendo
3. vai ficando/ vai perdendo
4. Ia tendo/ Ia atropelando
5. ias partindo
6. se ia aproximando/ ia ganhando
7. ia caindo

33.3
1. vim a saber
2. Viemos a descobrir
3. ia a subir
4. íamos a sair
5. Vim a encontrar
6. íamos a chegar
7. venham a ganhar

Unidade 34

34.1.

A
1. Diz-se que este Inverno vai ser muito chuvoso.
2. Espera-se que a greve dos transportes termine rapidamente.
3. Pensa-se que ele enriqueceu com negócios ilegais.

B
2. Lava-se e engoma-se roupa.
3. Alugam-se bicicletas.
4. Aceitam-se encomendas para o Natal.

34.2.
2. Se ela tivesse vindo à inauguração,...
3. Se não vivessem tão longe,...
4. Se o tempo estivesse bom,...
5. Se tivesse dinheiro,...

34.3.
1. se alguém tinha ficado com dúvidas.
2. se tivesse tempo, ainda passava por casa dela.
3. se eu tinha uma caneta que lhe emprestasse.
4. se podia sair mais cedo.
5. se pudesse sair mais cedo, ia connosco ao cinema.

34.4.
1. encontraram-se/ se viam
2. se barbeava/ cortou-se
3. dão-se
4. levanta-se/ se arranjar
5. zangaram-se/ se falar

Unidade 35

35.1.

2. a) Quando era pequeno, gostava muito de brincar.
3. a) Eu sou saudável, porque não fumo.
4. a) Sempre que rio muito, parece que estou a chorar.
5. a) Os meus alunos são todos muito simpáticos.
6. a) Senta-te ali. A cadeira está vaga.

b) Hoje em dia, vivemos na era da informática.
b) Aquela chaminé está a deitar muito fumo.
b) Lisboa é banhada pelo rio Tejo.
b) Beber muito não é um hábito são.
b) Uma vaga gigantesca arrasou a pequena aldeia.

35.2.

1.
  . Asso
  . aço.

2. acento - sinal de acentuação
  assento - lugar para sentar
  . acento
  . assento

3. à - a (preposição) + a (artigo definido)
  há - verbo haver (P.I.); expressão de tempo
  ah - interjeição
  . há
  . à/há
  . ah

4. conserto - arranjo; reparação
  concerto - sessão musical; harmonia; acordo
  . conserto.
  . concerto

5. houve - verbo haver (P.P.S.)
  ouve - verbo ouvir; 3ª pes. sing. (P.I.);
          Imperativo informal
  . ouve
  . houve

6. coser - costurar
  cozer - cozinhar em água a ferver
  . cozer
  . coser

7. eminente - destacado; notável
  iminente - em risco certo, para breve
  . eminente
  . iminente

8. elegível - que pode ser eleito
  ilegível - que não se consegue ler
  . elegível
  . ilegível

9. roído - comido; esburacado
  ruído - som desagradável; barulho
  . ruído
  . roído

10. traz - verbo trazer, 3ª. pess. sing. (P.I.)
  trás - preposição
  . trás
  . traz

11. tenção - (ter) intenção
  tensão - nervosismo; stress
  . tensão
  . tenção

35.3.

1. a) A minha cor preferida é o azul.
2. a) Eu gosto muito da zona onde habito.
3. a) O senhor não pode estacionar aqui o carro.
4. a) Já entreguei os documentos na secretaria.

b) Ele estudou tanto que sabe a matéria de cor.
b) Eu não tenho o hábito de me deitar cedo.
b) Ela ontem não pôde vir trabalhar, porque esteve doente.
b) A secretária passou a chamada ao director.

35.4.

1. a) A cerca do jardim precisa de ser arranjada.
2. a) Preciso de uma cópia do meu Bilhete de Identidade.
3. a) O governo decretou novos impostos.
4. a) Paguei 3 € por um quilo de pêras. Estão caras!
5. a) Marie Curie foi uma sábia. Descobriu os raios X.

b) O Atlântico cerca a Madeira.
b) Ele copia sempre nos exames, porque estuda pouco.
b) Eu governo a minha vida o melhor que posso.
b) Vou pôr a mesa para o jantar.
b) Eu sabia que ias gostar dessa prenda.

35.5.

1. a) Temos de crer em qualquer coisa, ter fé.
2. a) O chefe fez-nos um grande cumprimento.
3. a) A leitura é uma excelente forma de evasão.
4. a) Uma pessoa previdente protege-se contra o roubo.
5. a) O prefeito de Brasília já cumpriu dois mandatos.

b) Ela pode não querer que se fale sobre esse assunto.
b) Esta mesa tem 2 metros de comprimento.
b) A invasão da Europa era um objectivo de Napoleão.
b) Ela é muito providente: tem sempre o que precisa.
b) O trabalho está perfeito.

35.6.

1. b)
2. c)
3. a)

4. d)
5. c)

35.7.

1. insossa
2. ao ataque
3. cima

4. apertado
5. princípio

Unidade 36

36.1.

1. imprevisto.
2. desordem.
3. irrespirável.
4. incoerente.
5. irregular.

6. imperdoável.
7. ilimitadas.
8. irreversível.
9. irrepreensível.
10. invertebrado.

36.2.

2. espanhol
3. dinamarquês
4. italiano
5. escocês
6. brasileiro

7. açoriano
8. chinês
9. alemão
10. africano

36.3.

1. lembrança   elegância
2. doença   distância
3. perseverança   decência
4. diferença   violência
5. parecença   experiência

6. maldição   agilidade
7. orientação   aptidão
8. distracção   habilidade
9. eleição   lentidão
10. aflição   sobriedade

11. homenagem   teimosia   ternura
12. secagem   ironia   cultura
13. lavagem   cobardia   fervura
14. dobragem   valentia   cobertura
15. filmagem   alegria   queimadura

36.4.

1. amanhecer   creditar
2. entardecer   realizar
3. anoitecer   sistematizar
4. enraivecer   explicitar
5. adoecer   modernizar

36.5.

1. excepcional   louvável
2. mensal   disponível
3. semanal   alterável
4. comercial   favorável
5. espiritual   saudável

36.6.

2. sapateiro
3. filatelista
4. reitor
5. oleiro
6. lavrador/agricultor

7. bombeiro
8. romancista/escritor
9. florista
10. marceneiro/carpinteiro

36.7.

2. frequentemente
3. sinceramente
4. atentamente
5. repentinamente
6. propositadamente

7. despreocupadamente
8. secretamente
9. simultaneamente
10. efectivamente
11. carinhosamente

Unidade 37

37.1.

2. trinca-espinhas
3. chapéus-de-sol
4. surdas-mudas
5. castanho-claro/azuis-claro
6. estrelas-do-mar
7. saca-rolhas
8. novos-ricos
9. pé-de-cabra
10. água-de-colónia
11. luso-brasileira
12. obra-prima
13. troca-tintas
14. cabeça-de-casal
15. porta-voz
16. belas-artes

37.2.

1. vai-vem
2. passaporte
3. vinagre
4. Monsanto
5. rodapés
6. fidalgo

Unidade 38

38.1.

2. Não queres é fazer nada.
3. Gostava era que pudessem vir.
4. Ela só pensa é em divertir-se.
5. Venderam-te foi uma imitação.
6. Convinha era que estivessem todos presentes.

38.2.

2. Vocês lá devem saber o que estão a fazer.
3. Ela lá voltou a cometer o mesmo erro.
4. Lá conseguiste vender o carro por um bom preço.
5. Eu cá vou ficar a tomar conta das crianças.
6. Depois de esperarem horas, lá conseguiram uma boleia.

38.3.

2. A ele ficou-lhe a dever muito dinheiro. Coitado do João!
3. A nós, ninguém nos avisou da reunião.
4. De certeza que o vão eleger a ele para o próximo mandato.
5. O banco vai devolver-lhe a si os juros creditados, D. Teresa.
6. A ti não te empresto mais nenhum livro.

38.4.

2. Foi na escola que foram passados os melhores anos.
3. Era à sexta-feira à noite que iam sempre ao cinema.
4. É de manhã e ao final da tarde que há sempre muito trânsito.
5. Era a vossa opinião sobre este assunto que eu queria ouvir primeiro.
6. É comigo que ela gosta de desabafar.

Unidade 39

39.1.

1. Japonês	perfil	pontapé	cônsul	rapaz
2. homem	moinho	refém	vocês	falávamos
3. anel	sótão	oásis	cajú	música
4. raíz	difícil	céu	água	herói
5. júri	vêem	açúcar	saída	portuguesa
6. ruído	apoio	paraíso	hotel	núvem
7. armário	papéis	baús	vírus	jibóia
8. móveis	câmara	clímax	compor	abríamos
9. miúdo	piano	daríamos	gás	abdómen
10. útil	atrás	limão	países	lêssemos

39.2.

1. caia; caía	6. secretaria; secretária	11. Por; pôr
2. pode; pôde	7. saí; sai	12. As; às
3. tem; têm	8. país; pais	13. interprete; intérprete
4. para; pára	9. àquela; aquela	14. estas; estás
5. chegamos; chegámos	10. funcionaria; funcionária	15. Dê; de

39.3.

1. Eu nunca ponho açúcar nem no chá, nem no café; só no leite.
2. Fui ao médico, porque há dias que ando cheio de dores de estômago.
3. Quando comprámos a máquina fotográfica, ofereceram-nos um álbum.
4. As vendas de automóveis no nosso país têm aumentado nos últimos tempos.
5. A indústria têxtil portuguesa é reconhecida internacionalmente.
6. Em anos de muita chuva, as consequências das cheias no sector sócio-económico são sempre dramáticas.
7. Vê aí no mapa quantos quilómetros faltam para a fronteira.
8. Com este trânsito, se fôssemos a pé, chegaríamos mais depressa.
9. Vocês lêem as legendas a esta distância?
10. O vocabulário específico da área de direito não é nada fácil.
11. Gostaríamos de provar o bolo de amêndoa, se fosse possível.
12. O juíz chamou o advogado do réu à parte e ninguém sabe o que lhe terá dito.
13. Recebi uma carta dos meus avós e, felizmente, estão os dois bem de saúde.
14. Sem dúvida que contribuíste muito para o êxito do espectáculo.
15. Ela pôs-se a falar português em apenas três meses.

Unidade 40

40.1.

1. O curso para fins específicos "Conceitos de Gestão" visa ajudar os participantes a desenvolverem as suas capacidades em língua portuguesa, de acordo com as suas necessidades profissionais. Os objectivos principais são: revisão e consolidação das estruturas linguísticas; enriquecimento quantitativo e selectivo do vocabulário, na área específica em questão; treino intensivo de capacidade criativa de expressão.

2. - Então, Luís, sempre vens connosco? - perguntou o João.
   - Bem que eu gostaria, mas... - respondeu o Luís.
   - Ah! É verdade! Tens exame amanhã - disse o João. - Que pena!

3. A arte do azulejo, palavra derivada do árabe «al-zu-leycha» (que significa pequena pedra), é uma herança da cultura islâmica que, após a Reconquista Cristã, foi deixada aos Povos da Península Ibérica.

40.2. Através do testamento, Calouste Gulbenkian criou, nos termos da lei portuguesa, uma fundação denominada «Fundação Calouste Gulbenkian» cujas bases essenciais são as seguintes:

a) é uma Fundação portuguesa, perpétua, com sede em Lisboa, podendo ter, em qualquer lugar do mundo civilizado, as dependências que forem julgadas necessárias;
b) os seus fins são caritativos, artísticos, educativos e científicos;
c) a sua acção exercer-se-á não só em Portugal, mas também em qualquer outro país, onde os seus dirigentes o julguem conveniente.

Deste modo, a Fundação opera, desde o princípio da sua existência, no Médio Oriente (a sua principal fonte de receitas provinha do Iraque), junto às comunidades arménias espalhadas pelo mundo (Calouste Gulbenkian era arménio) e no Reino Unido (a sede dos negócios de Gulbenkian era em Londres e este naturalizara-se britânico). Mais tarde, a sua acção estender-se-ia a França (país onde vivera largos anos antes de fixar residência em Lisboa e onde reunira grande parte da sua colecção de arte) e a todos os países de língua oficial portuguesa, com particular incidência no Brasil e nos novos estados africanos.